La Ch-

seulement (!

bonne le

Max - alias "Mr Lucky" -

Dr Richard WISEMAN

NOTRE CAPITAL CHANCE

Comment l'évaluer et le développer

Traduit de l'anglais (Grande-Bretagne)
par Marie-Claude Elsen

•MARABOUT•

Titre de l'édition originale : *The Luck Factor*, publiée par Century, London.

Pour Caroline

« Si un homme malchanceux vendait des parapluies, il cesserait de pleuvoir; s'il vendait des bougies, le soleil ne se coucherait plus jamais; s'il vendait des cercueils, les hommes vivraient éternellement. »

Adage yiddish

« Jetez un homme chanceux à la mer et il refera surface avec un poisson dans la bouche. »

Proverbe arabe

Sommaire

INTRODUCTION

Les chanceux rencontrent le partenaire idéal, réalisent leurs ambitions, ont un métier qui les comble, mènent une existence intéressante et trouvent souvent le bonheur. Leur réussite ne provient pourtant pas d'efforts particuliers : pas de force de travail exceptionnelle, pas de talent ou d'intelligence hors du commun. On dirait plutôt qu'ils ont le don mystérieux de se trouver là où il faut au moment adéquat et qu'ils bénéficient de davantage de bonnes occasions que le commun des mortels. Cet ouvrage retrace la première étude scientifique consacrée aux raisons qui permettent aux chanceux de mener des vies plus agréables que celles de beaucoup d'autres et propose par ailleurs à tout un chacun des moyens de développer sa chance.

Ces recherches m'ont demandé plusieurs années et ont nécessité d'innombrables expériences et heures d'entretiens avec des centaines de personnes exceptionnellement chanceuses ou malchanceuses. Elles me permettent aujourd'hui de vous expliquer les mécanismes de la chance et le rôle capital qu'elle joue dans notre vie sous un jour radicalement nouveau. On ne naît pas sous un astre favorable. Les chanceux appliquent au contraire, à leur insu, quatre principes de base pour susciter la bonne fortune. D'une part, l'analyse de ces principes éclaire ce qu'est la chance en soi ; d'autre part, leur application permet de cultiver et de développer sa propre chance.

Bref, mon livre vous propose le plus insaisissable des Graal : un moyen scientifique de comprendre, maîtriser et augmenter votre chance.

La chance du débutant

L'intérêt que je porte aux phénomènes psychologiques sortant de l'ordinaire remonte loin. Enfant, j'étais fasciné par la magie et l'illusion. Dès l'âge de dix ans, j'étais capable de faire disparaître des mouchoirs, de battre un paquet de cartes sans modifier leur ordre et de révéler à mes interlocuteurs le chiffre auquel ils pensaient. Adolescent, je suis devenu l'un des plus jeunes membres du Cercle de la Magie de Londres, l'une des plus célèbres sociétés de l'illusion au monde, et j'ai été invité à plusieurs reprises à me produire au prestigieux Château de la Magie de Hollywood.

Très vite, j'ai découvert que pour réussir dans la magie, il faut en savoir beaucoup sur les mécanismes du cerveau humain. Les bons magiciens savent comment détourner l'attention des spectateurs, les empêcher de nourrir des soupçons et de trouver par l'analyse la solution d'un tour de prestidigitation. Les années passant, mon intérêt pour les principes psychologiques qui servent de base aux tours de magie n'a cessé de s'accroître. Il m'a amené à m'inscrire en licence de psychologie à l'University College de Londres. Plus tard, j'ai choisi comme thèse de doctorat la psychologie de l'illusion à l'université d'Édimbourg. Par la suite, j'ai créé mon groupe de recherches à l'université du Hertfordshire.

Mon service effectue des recherches scientifiques sur un vaste éventail de phénomènes psychologiques. Sans doute est-ce mon expérience de magicien qui m'a toujours incité à diriger mon équipe vers des domaines de la psychologie rarement abordés.

Une partie de ce travail a porté sur des médiums qui semblent communiquer avec les morts, sur des détectives qui ont recours à la télépathie pour aider la police à résoudre des crimes et sur des guérisseurs apparemment capables de soigner avec succès certaines maladies. Nous nous sommes également penchés sur les modifications de comportement d'une personne qui ment, nous avons exploré l'usage que font les magiciens de techniques psychologiques pour leurrer leur public, cherché des manières de détecter les mensonges et les tromperies et donné des cours de formation à des personnes qui souhaitaient être capables de déceler la malhonnêteté. J'ai publié les résultats de ces travaux dans des revues scientifiques, je les ai présentés lors de séminaires universitaires et j'ai donné des conférences dans le monde des affaires à propos de leurs applications pratiques.

Il y a quelques années, on m'a proposé de donner une conférence sur mon travail. C'était loin d'être la première, mais j'ignorais qu'elle allait radicalement changer la direction de mes recherches.

J'ai décidé d'y incorporer un tour de magie élémentaire. J'empruntais un billet de dix livres à un membre de l'assistance, et le plaçais dans une enveloppe parmi vingt avant de les mélanger. Je demandais ensuite à cette personne de choisir une enveloppe et je brûlais les dix-neuf autres. Puis j'ouvrais l'enveloppe restante, en sortais le billet et félicitais ladite personne.

Un soir, mon tour s'est conclu sur une note imprévue. J'ai emprunté un billet à une dame, que j'ai placé dans une enveloppe, puis j'ai mélangé les enveloppes et les ai alignées. J'avais noté mentalement que le billet se trouvait dans celle placée tout au bout à gauche. J'ai demandé à la spectatrice de choisir une enveloppe. Son choix s'est porté sur celle qui contenait le billet, ce qui m'a bien sûr facilité la tâche. J'ai rassemblé les autres enveloppes et je les ai brûlées. Tandis qu'elles se dissipaient en fumée, j'ai ouvert l'enveloppe restante et tendu le billet à la dame.

Malgré les rires et les applaudissements, cette femme n'a pas eu l'air le moins du monde étonnée. Je lui ai demandé de me dire ce que cette expérience lui inspirait et elle m'a tranquillement expliqué qu'elle avait l'habitude de ce genre de situation. Elle se trouvait toujours au bon endroit au bon moment et le sort lui souriait régulièrement, tant dans sa vie privée que professionnelle. Elle m'a dit qu'elle ne comprenait pas bien pourquoi, mais qu'elle s'était toujours estimée chanceuse.

Ma curiosité éveillée, j'ai prié les membres du public de me dire s'ils pensaient être chanceux ou malchanceux. Une femme des premiers rangs a levé la main et m'a répondu que sa chance lui avait permis d'accomplir un bon nombre de ses ambitions. Un homme m'a déclaré que la chance ne lui souriait jamais, au point qu'il était convaincu que le billet serait sans nul doute parti en fumée si j'avais fait appel à lui pour mon tour de passe-passe. Il a procédé au récit d'une vie entière ponctuée d'accidents et de désastres. La veille encore, alors qu'il se baissait pour ramasser une pièce trouvée par hasard, il s'était cogné la tête contre une table et avait failli s'évanouir.

Après ma conférence, j'ai longuement songé à cette soirée. Pour quelle raison ces deux femmes étaient-elles particulièrement fortunées ? Et ce pauvre homme ? Sa malchance relevait-elle de la simple maladresse ou de quelque chose d'autre ? J'ai décidé de consacrer des recherches à ce sujet. À l'époque, j'ignorais totalement ce qui m'attendait. J'imaginais tout au plus effectuer une poignée d'expériences avec quelques dizaines de personnes. En fait, ces études m'ont pris plus de huit années et m'ont amené à travailler avec des centaines d'individus exceptionnels.

Ce livre en présente le premier compte rendu complet. Il commence par souligner la manière dont la chance détient le pouvoir de transformer nos vies. Par évoquer comment quelques secondes de chance peuvent déboucher sur une réussite et un bonheur durables alors qu'une brève rencontre avec la malchance est susceptible de causer échec et désespoir. Il décrit ensuite les travaux initiaux qui m'ont amené à découvrir les quatre principes qui sont à l'origine d'une vie soutenue par la chance. La section suivante décrit ces quatre principes en détail. Pour finir, il propose des moyens de les appliquer, afin de mener une vie plus chanceuse.

Avant de commencer, je souhaite cependant vous poser quelques questions personnelles.

Votre Journal de Chance

Au fil des pages, je vais vous demander de répondre à plusieurs questionnaires et d'effectuer une série d'exercices, pour la plupart basés sur les tests psychologiques que j'ai fait passer à des personnes chanceuses et malchanceuses durant mes recherches. Veuillez sauvegarder vos réponses dans un « Journal de Chance » à cet effet : un carnet ou un bloc de feuilles quadrillées, d'un minimum de quarante pages. Vos réponses vous éclairciront sur l'application des différents principes de la chance à votre cas et vous aideront à déterminer la meilleure façon de faire fructifier la vôtre.

Exercice 1 : Questionnaire Profil chance

Le premier questionnaire est très simple. En haut de la première page de votre Journal de Chance, inscrivez le titre « Questionnaire Profil chance ».

Reproduisez le tableau ci-dessous avec les questions les unes sous les autres et un espace sur la droite pour indiquer vos commentaires, votre notation, de 1 à 5, correspondant au degré auquel ces affirmations s'appliquent, selon vous, à votre comportement.

EXERCICE 1 : QUESTIONNAIRE PROFIL CHANCE	
Questions	*Votre note (1-5)*
1) Il m'arrive de bavarder avec des inconnus quand je fais la queue dans un supermarché ou une banque.	
2) Je ne suis pas enclin/e à me faire du souci et à m'inquiéter à propos de ma vie.	
3) Je suis ouvert/e aux nouvelles expériences, telles que goûter à des plats ou des boissons inédites.	
4) J'écoute souvent ma « voix intérieure ».	
5) J'ai essayé des techniques pour développer mon intuition, comme la méditation ou le recueillement dans un endroit calme.	
6) D'une manière générale, je m'attends à ce que l'avenir me réserve des choses positives.	
7) J'essaie de concrétiser mes désirs, même si les probabilités d'y parvenir sont minces.	
8) Je me dis que la plupart des personnes que je vais rencontrer seront agréables, amicales et obligeantes.	
9) J'ai tendance à voir le côté positif de tout ce qui m'arrive.	
10) Je crois qu'à long terme, les événements négatifs eux-mêmes joueront en ma faveur.	
11) Je ne suis pas du genre à ruminer les événements passés qui ne m'ont rien apporté de bon.	
12) J'essaie de tirer une leçon de mes erreurs passées.	

Tableau de notation

1. Absolument jamais
2. Jamais
3. Sans opinion
4. Oui
5. Oui, souvent

Prenez le temps de lire les questions soigneusement. Si vous hésitez à leur accorder une note, choisissez simplement celle qui vous semble la plus appropriée. N'y réfléchissez pas trop longtemps et soyez aussi honnête que possible.

Dans le courant du livre, nous reviendrons régulièrement à ce tableau afin de mieux cerner votre profil et améliorer votre confiance.

I
Les recherches initiales

« Allez réveiller votre chance. »

Proverbe persan

« Nul n'est plus chanceux que celui qui croit à sa chance. »

Proverbe allemand

1
LE POUVOIR DE LA CHANCE

« On insiste vraiment beaucoup trop sur le fait de gagner de l'argent. Cela ne nécessite pas une intelligence supérieure. Parmi mes connaissances, certains des plus grands imbéciles sont également les plus riches. En vérité, je pense qu'on peut attribuer la réussite à 95 % de chance et 5 % de talent. Prenez mon cas. Je sais parfaitement que j'ai beaucoup d'employés sous mes ordres qui seraient parfaitement capables de diriger mon entreprise aussi bien que moi. La seule différence entre eux et moi, c'est que les bonnes occasions ne se sont pas présentées à eux. »

Julius Rosenwald, ancien président de Sears, Roebuck and Company

La chance exerce une influence essentielle sur nos vies. Quelques secondes de malchance réduiront à néant des années d'efforts. La chance a le pouvoir de transformer l'improbable en possible ; de faire la différence entre la vie et la mort, la récompense et la ruine, le bonheur et le désespoir.

Prenons le cas de Jason Luck* — bien mal nommé —, un maître nageur de vingt-deux ans qui eut le malheur d'être

* En anglais, luck signifie chance. *(N.d.T.)*

victime d'une somme de malchance fatale. Durant un voyage en train, il s'appuya par inadvertance contre la seule porte défectueuse du wagon et tomba du train en marche, à l'instant même où ce dernier empruntait un viaduc étroit. Du coup, Jason fit une chute de plus de vingt mètres. Une ambulance arriva par bonheur très vite sur les lieux et le transporta dans un hôpital des environs. Malheureusement, une fois là-bas, il trébucha et tomba d'une fenêtre située au troisième étage. Cette chute eut des conséquences beaucoup plus graves que la précédente, puisqu'il demeura paralysé et sous assistance respiratoire. Le personnel de l'hôpital pense qu'il aurait pu se remettre de ses blessures... s'il n'avait eu la malchance supplémentaire qu'un tuyau se débranche pendant la nuit. L'appareil était équipé d'une sonnette destinée à alerter le personnel médical. Malheureusement l'alarme ne fonctionna pas et ce nouveau pépin lui fut fatal.

D'autres ont vu leur vie constamment épargnée, plutôt qu'accablée, par l'intervention du sort. John Woods, associé principal d'une grande compagnie juridique, échappa de peu à la mort le 11 septembre 2001 en quittant son bureau des Twin Towers à New York quelques secondes avant que le premier avion ne s'encastre dedans. Ce n'était pas la première fois que la chance était de son côté. En 1993, il se trouvait au trente-neuvième étage du World Trade Center quand une bombe explosa. Il s'en sortit sans une égratignure. En 1988, il devait prendre l'avion de la Pan Am qui se désintégra au-dessus de Lockerbie en Écosse, mais il annula son vol à la dernière minute parce qu'on l'avait convaincu d'assister à une réception de son entreprise.

Les effets de la chance et de la malchance ne se bornent pas aux questions de vie ou de mort. Ils peuvent marquer la différence entre la réussite financière et la ruine. En juin 1980, Maureen Wilcox joua à la fois aux lotos du Rhode Island et du Massachusetts. Chose inouïe, elle avait coché les numéros gagnants dans les deux cas. Pourtant, elle ne gagna pas un cent. Ses chiffres du loto du Massachusetts correspondaient à ceux du loto du Rhode Island, et vice versa ! D'autres joueurs de loto ont vu à l'inverse les dieux de la fortune leur sourire. En 1985, Evelyn Marie Adams gagna quatre millions de dollars à celui du New Jersey. Quatre mois plus tard elle rejoua et gagna un million cinq cent mille dollars supplémentaires. Plus chanceux encore fut Donald Smith. Il gagna trois fois au loto du Wisconsin — en mai 1993, juin 1994 et juillet 1995 — et empocha chaque fois deux cent cinquante mille dollars. Or il y a moins d'une chance sur un million de gagner deux fois à ce loto.

La chance ne s'arrête cependant pas aux questions d'argent. Elle joue également un rôle essentiel dans nos vies privées.

Alfred Bandura, psychologue à l'université de Stanford, a évoqué l'impact des rencontres de hasard et de l'effet de la chance sur la vie privée. Il note l'importance et la fréquence de telles rencontres et écrit que « ... sur les chemins de la vie, certains des facteurs les plus déterminants émanent souvent de circonstances extrêmement triviales... ». Il illustre ce point de vue à l'aide de plusieurs exemples parlants, dont l'un est tiré de sa propre vie. À l'époque où il préparait son diplôme, il décida d'aller jouer au golf avec un ami au lieu d'assister à une lecture qui l'ennuyait. Le hasard voulut qu'ils nouassent connaissance avec deux golfeuses séduisantes. Ils firent une partie ensemble, à la fin de laquelle Bandura donna rendez-vous à l'une des jeunes femmes, qu'il allait par la suite épouser. Une simple rencontre sur un parcours de golf modifia donc le cours de sa vie.

Bandura raconte également comment un banal mélange de courrier provoqua la rencontre de Ronald Reagan et de sa future femme, Nancy. Alors qu'elle était actrice, Nancy

Davis se mit à recevoir des annonces de réunions communistes. Ces courriers étaient en fait destinés à une actrice homonyme. Nancy, qui craignait les répercussions sur sa carrière, en parla à son metteur en scène. Il organisa une rencontre avec le président de la Ligue des acteurs de l'époque qui n'était autre que Ronald Reagan. Il ne fallut pas longtemps aux deux jeunes gens pour convoler. Là encore, leur vie fut modifiée par une rencontre heureuse.

Un petit nombre de chercheurs a étudié l'impact des rencontres fortuites sur le choix d'une carrière et sur la réussite professionnelle. La conclusion de leurs travaux prouve encore une fois que cet impact est loin d'être anodin. Les rencontres de hasard, les bonnes occasions sont souvent à l'origine d'une bifurcation dans une carrière ou d'une promotion marquante. Dans le domaine professionnel, elles exercent une influence si importante que l'un des principaux conseillers américains en « management » de carrière a pu déclarer :

> « Chacun d'entre nous pourrait raconter des histoires sur l'impact capital exercé par des événements imprévus sur une carrière et sur la manière dont des milliers d'événements mineurs imprévus ont également joué un petit rôle. Les événements non planifiés prenant une grande importance ne sont pas inhabituels ; il s'en produit tous les jours. La « bonne fortune » n'a rien de fortuit. Le facteur chance a le don d'ubiquité. »

Ce genre de facteur a sans conteste exercé son effet sur ma propre carrière. À l'âge de huit ans, j'ai eu à effectuer un devoir sur l'histoire du jeu d'échecs. Comme j'étais docile, je suis allé consulter des livres à la bibliothèque de mon quartier. L'employée que j'interrogeai ne m'a pas indiqué le bon rayon et je suis tombé sur des livres qui traitaient de la prestidigitation. Curieux de nature, je me suis plongé dans la lecture des secrets des magiciens. Cette introduction au monde de la magie a influencé toute ma vie. Je me demande vraiment ce qui se serait produit si la bibliothécaire m'avait dirigé vers le bon rayon. Qui sait? Peut-être ne me serais-je jamais intéressé à la magie, ne serais-je pas devenu psychologue et n'aurais-je pas mené les recherches destinées à l'ouvrage que vous êtes en train de lire.

La chance a également exercé une influence considérable sur la carrière de beaucoup d'hommes d'affaires brillants.

À la fin de sa vie, Joseph Pulitzer était un homme d'affaires et un philanthrope qui jouissait d'une réussite éclatante. Propriétaire de l'un des plus importants journaux américains, il contribua à la collecte des fonds destinés à l'élaboration de la statue de la Liberté et créa le célèbre « Prix Pulitzer», destiné à récompenser des écrivains. Pourtant, rien de tout ceci ne lui serait peut-être arrivé sans l'intervention du hasard. Pulitzer naquit en Hongrie. Jeune homme, il était souffreteux et affligé d'une très mauvaise vue. À dix-sept ans, sans le sou, il émigra en Amérique où il eut le plus grand mal à trouver un emploi. Du coup, il passait beaucoup de temps à jouer aux échecs dans la bibliothèque de son quartier. Un jour, il fit la connaissance du directeur d'un journal local qui lui proposa un poste de jeune reporter. Quatre ans plus tard il sauta sur une occasion d'acheter des actions de ce journal. Une décision très avisée, qui lui permit d'effectuer de gros bénéfices. Au fil de sa vie, Pulitzer prit des décisions heureuses qui lui permirent de devenir directeur, puis propriétaire de deux des plus célèbres journaux américains. Lui qui avait commencé comme un pauvre immigrant se retrouva, en fin de carrière, l'un des hommes les plus influents des États-Unis. Sans cette rencontre liée au hasard dans la salle des échecs de la bibliothèque de son quartier, sa vie aurait pu prendre un tour complètement différent.

De nombreux autres hommes d'affaires attribuent une grande partie de leur réussite à des rencontres fortuites. C'est le cas de Barnett Helzberg Jr. En 1994, Helzberg était à la tête d'une chaîne de bijouteries dont les bénéfices annuels avoisinaient les trois cents millions de dollars. Un jour, alors qu'il passait devant l'hôtel Plaza, Helzberg entendit une dame appeler « Monsieur Buffett » un monsieur qui marchait à côté de lui. Il se demanda s'il ne s'agissait pas de Warren Buffett, l'un des hommes d'affaires les plus prospères d'Amérique. Il savait, pour l'avoir lu dans des magazines, sur quels critères financiers Buffett se basait pour acquérir une société. Helzberg, qui venait d'avoir soixante ans et qui songeait à vendre la sienne, se dit qu'elle avait des chances d'intéresser Buffett. Sautant sur l'occasion, il se présenta à l'inconnu. Il s'agissait bien de Warren Buffett et cette rencontre s'avéra des plus fructueuses, puisque un an plus tard Buffett se rendit effectivement acquéreur de la chaîne de magasins de Helzberg. Tout cela parce que ce dernier avait entendu une femme appeler un homme qui marchait à côté de lui dans une rue de New York.

Mais comment Buffett s'y était-il pris pour se retrouver à la tête de l'une des plus grandes fortunes des États-Unis ? Dans une interview au magazine *Fortune,* il a raconté le rôle important joué par la chance au début de sa carrière. À l'âge de vingt ans, Buffett ne fut pas admis à la Harvard Business School. S'étant rendu sur-le-champ dans une bibliothèque afin de voir dans quelle autre école il pouvait s'inscrire, il s'aperçut que deux professeurs d'économie qu'il admirait beaucoup enseignaient à Columbia. Il s'y inscrivit à la dernière minute et fut accepté. L'un de ces professeurs allait devenir son mentor et son patron et l'aider par la suite à entamer une carrière d'homme d'affaires des plus réussies. « Ma plus grande chance est sans doute de ne pas avoir été admis à Harvard », déclare Buffett.

Le rôle de la chance ne se limite pas au monde des affaires. En 1979, le producteur hollywoodien George Miller cherchait un dur, marqué par la guerre, couturé de cicatrices, pour tenir le rôle principal du film *Mad Max.* La veille de son bout d'essai, Mel Gibson, à l'époque acteur australien totalement inconnu, fut attaqué dans la rue par trois ivrognes. Il arriva au studio dans un état physique lamentable et George Miller lui proposa le rôle sur-le-champ. Le top model britannique Kate Moss a elle aussi bénéficié d'une même intervention du sort. Début 1990, elle était en vacances avec son père. Ils faisaient la queue à l'aéroport Kennedy lorsqu'un représentant d'une agence de mannequins remarqua son physique étonnant. Moss est devenue l'un des mannequins les plus célèbres au monde, grâce à cette rencontre fortuite.

La chance intervient aussi dans les carrières et la réussite des scientifiques et des hommes politiques.

L'exemple le plus célèbre de découverte scientifique due au hasard est sans doute celui bien connu de sir Alexander Fleming. À la fin des années 20, Fleming œuvrait à l'obtention de médicaments plus efficaces. Une partie de son travail consistait à examiner au microscope des bactéries, cultivées artificiellement dans des récipients de verre plats appelés « boîtes de Petri». Par inadvertance, Fleming omit de recouvrir une de ces boîtes, et une moisissure tomba dedans. La chance voulut que cette moisissure contînt une substance qui tua le type de bactérie cultivée dans la boîte. Intrigué, Fleming mit tout en œuvre pour identifier cette substance. Résultat : il découvrit le futur antibiotique qu'il baptisa pénicilline. Cette découverte, due au hasard, a sauvé d'innombrables vies et compte parmi les plus importantes avancées de l'histoire de la médecine.

En fait, les événements fortuits et les découvertes accidentelles ont joué un rôle important dans de nombreuses inventions, dont la pilule contraceptive, les rayons X, la photographie, le verre Securit, les édulcorants, le Velcro, l'insuline et l'aspirine.

La carrière du président américain Harry Truman illustre le rôle de la chance en politique. Harry Truman naquit dans une famille modeste. Il voulait entrer à l'université après ses études secondaires, mais son père perdit presque tous ses biens à la suite de mauvais placements et Truman fut contraint de labourer les terres de son grand-père au lieu d'effectuer des études supérieures. À la fin de la Première Guerre mondiale, il ouvrit une boutique de vêtements à Kansas City, mais il eut la malchance de tout perdre pendant la grande crise. Ce fut seulement à la fin des années 30 que s'offrit à lui une première occasion : un ami lui conseilla de se présenter comme juge de son comté et il fut élu, contre toute attente. À l'âge de quarante-deux ans, il se présenta au poste de président du tribunal et fut encore élu. Quelques années plus tard, il devint sénateur. En 1944, les démocrates le choisirent à la place du vice-président Henry Wallace comme colistier de Franklin D. Roosevelt. Ce dernier n'avait accompli que 82 jours de son mandat lorsqu'il décéda subitement, cédant par la force des choses le poste de président à Truman. La chance de ce dernier se poursuivit au cours de sa vie politique : en 1948, il obtint l'un des plus gros scores de l'histoire des élections américaines en battant Thomas E. Dewey. Quelques années plus tard, il échappa à une tentative d'assassinat perpétrée par des nationalistes portoricains. Dans ses Mémoires, Truman écrit :

> « La popularité et le charisme ne sont qu'une partie des facteurs qui permettent de gagner une élection. L'un des plus importants est la chance. En ce qui me concerne, elle ne m'a jamais quitté. »

Pour résumer les choses, la chance joue un rôle essentiel dans de nombreux domaines. Elle détient le pouvoir de transformer nos vies privées et professionnelles. Perspective qui terrifie beaucoup d'entre nous. La plupart des gens aiment se dire qu'ils tiennent toutes les cartes de leur avenir entre les mains. Pourtant, cette impression d'être maîtres de la situation relève en grande partie d'une illusion. La chance est capable de tourner en dérision nos meilleures intentions. Elle a la capacité de tout changer, en un clin d'œil. Partout, à n'importe quel moment, et sans le moindre avertissement.

Depuis plus d'un siècle, les psychologues étudient le rôle que jouent sur nos vies l'intelligence, la personnalité, le physique, les gènes et l'éducation. Nous disposons donc de milliers d'études. De comptes rendus d'innombrables conférences, séminaires et réunions. D'un grand nombre de livres, de journaux et de rapports. Cependant, dans toute cette somme d'efforts, aucune recherche ou presque n'a été consacrée à la chance et à la malchance. Je soupçonne les psychologues d'éviter ce sujet parce qu'ils préfèrent, cela se comprend tout à fait, étudier des facteurs plus facilement quantifiables et contrôlables. Il est relativement peu compliqué de mesurer l'intelligence et de classer la personnalité des gens, mais comment quantifier la chance et contrôler le hasard ?

Cette situation me rappelle celle du vieux monsieur, conscient d'avoir laissé tomber un trésor dans un lieu précis, mais qui cherche ailleurs parce que cet endroit est mieux éclairé. Les psychologues ont choisi de ne pas se pencher sur la chance parce qu'il est beaucoup plus facile d'étudier d'autres domaines. Personnellement, j'ai toujours été attiré par les aspects de la psychologie hors des sentiers battus. Par des domaines que mes collègues ont tendance à éviter. Cela m'a souvent amené à trouver des trésors là où les autres ne regardaient pas.

EXERCICE 2 : LE RÔLE DE LA CHANCE DANS VOTRE VIE

Sur une nouvelle page vierge de votre journal, inscrivez un chiffre entre 1 et 7 pour indiquer dans quelle mesure vous estimez que la chance a influencé votre vie, à l'aide de l'échelle suivante :

Pas du tout 1 2 3 4 5 6 7 Énormément

En dessous, résumez en quelques phrases :

... comment vous avez rencontré votre compagnon/compagne.

... comment vous avez fait la connaissance de votre meilleur/e ami/amie.

... les facteurs principaux qui ont dicté votre choix de carrière.

... un événement majeur qui a eu un impact positif sur votre vie.

À présent, réfléchissez au rôle exercé par la chance sur ces événements. Pensez à la manière dont des détails minuscules — ne pas vous rendre à une réception, tourner à gauche au lieu de tourner à droite, ne pas ouvrir un magazine à une page donnée — ont pu avoir une influence sur eux et du coup modifier peut-être le cours entier de votre vie.

Revenez ensuite à la question sur l'impact exercé par la chance dans votre vie et répondez-y une deuxième fois.

Inscrivez un chiffre entre 1 et 7 pour indiquer *à présent* dans quelle mesure vous estimez que cette chance a influencé votre vie.

La plupart des personnes qui effectuent cet exercice se rendent compte qu'elle joue un rôle capital et inscrivent un chiffre plus élevé la seconde fois qu'ils répondent à cette question.

Dans l'introduction, j'ai évoqué la manière dont je me suis intéressé à la chance après avoir entendu des auditeurs de l'une de mes conférences me confier le rôle important qu'elle jouait dans leur vie. Peu après, j'ai décidé d'entamer des recherches. J'ai débuté par un sondage destiné à découvrir le pourcentage des personnes qui se considéraient chanceuses ou malchanceuses et à savoir si cette chance ne se concentrait que sur un ou deux domaines de leurs vies ou si elle s'élargissait à bien d'autres. Accompagné d'un groupe de mes étudiants, je me suis rendu à plusieurs reprises, au cours d'une semaine, dans un centre commercial d'une ville de province et j'ai demandé à un grand nombre de clients, pris au hasard, de me parler du rôle de la chance dans leur vie. Notre sondage comportait deux parties : pour commencer, ces personnes devaient me dire si elles se considéraient chanceuses ou malchanceuses, à savoir si des événements, dus en apparence au hasard, avaient joué de façon constante en leur faveur ou en leur défaveur. Ensuite, elles devaient préciser si elles étaient chanceuses ou malchanceuses dans huit domaines précis, dont leur carrière, leurs relations privées, leur vie familiale, leur santé et leurs finances.

Notre sondage a couvert un échantillon très large d'individus : hommes et femmes, jeunes et personnes âgées, ouvriers et entrepreneurs, femmes au foyer et actives, policiers et avocats. 50 % d'entre eux ont répondu qu'ils étaient constamment chanceux ; 14 % qu'ils étaient constamment malchanceux. En d'autres termes, 64 % des personnes sondées, soit presque les deux tiers, ont répondu que la chance ou la malchance les poursuivait. Détail intéressant, ceux indiquant qu'ils avaient de la chance dans un domaine étaient très enclins à dire qu'ils en avaient aussi dans d'autres. Les chanceux en matière financière déclaraient l'être également dans leur vie familiale ; les malchanceux dans leur vie professionnelle disaient l'être aussi dans leurs relations privées.

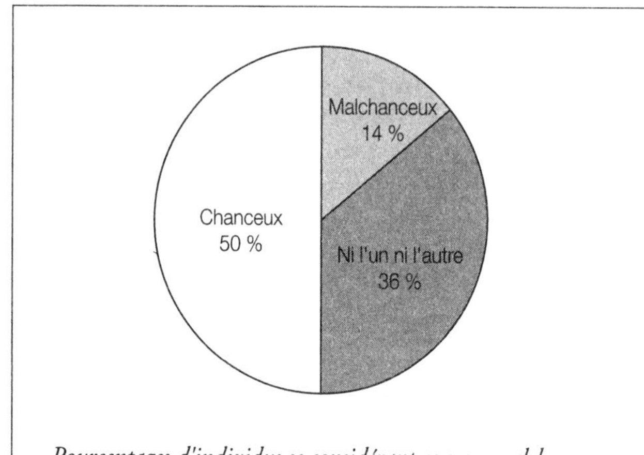

Pourcentages d'individus se considérant comme malchanceux, chanceux ou ni l'un ni l'autre dans mon sondage initial.

Ce simple sondage faisait état d'une constance remarquable. Certains sujets semblaient capables d'attirer la chance en permanence, alors que d'autres attiraient la poisse comme des aimants. La plupart d'entre eux étaient convaincus de devoir leur chance ou leur malchance au simple hasard. Du coup, la vie des chanceux était saupoudrée de rencontres — avec des êtres chers ou des collègues — qui débouchaient toujours sur quelque chose de positif. Les malchanceux attribuaient accidents et mauvaise fortune au hasard seul. Pour ma part, j'étais loin d'être convaincu que c'était le cas. Ma vieille passion pour la magie m'avait appris qu'il y a une différence entre l'apparence et la réalité des choses, laquelle est souvent plus déconcertante, et plus intéressante, que l'illusion.

À mes yeux, la chance ne pouvait pas être simplement le fruit du hasard. Trop de personnes étaient abonnées à la chance ou à la malchance pour que ce fût le cas. Il devait plutôt exister un élément qui faisait que certains s'en tiraient toujours bien et d'autres toujours mal. Vu l'importance du sujet, j'estimais capital d'essayer de mettre le doigt sur ce facteur et de le comprendre. Ces personnes étaient-elles vraiment destinées à réussir ou à échouer ? Faisaient-elles partie intégrante d'une espèce de jeu immense à l'échelle cosmique ? Avaient-elles recours à des facultés d'ordre paranormal pour susciter la chance ou la malchance ? Pouvait-on expliquer ce phénomène en termes de différences de convictions et de comportements ? Et ces interrogations une fois éclaircies, était-il possible d'augmenter notre chance ?

Mon sondage avait débouché sur un grand nombre de questions intéressantes.

2
DES VIES CHANCEUSES ET MALCHANCEUSES

D'après les résultats de mon sondage, un nombre surprenant d'individus estimaient être chanceux ou malchanceux en permanence, dans des domaines très différents de leur vie. Cette information aiguisait mon désir d'en savoir davantage.

Pour parvenir à mes fins, le meilleur moyen était d'effectuer des recherches scientifiques sur des groupes de sujets particulièrement chanceux ou malchanceux. Les psychologues ont souvent recours à cette méthode. Pour étudier le mode de fonctionnement de notre mémoire, ils interrogeront des personnes qui se souviennent plus ou moins bien des événements. L'étude d'athlètes de haut niveau et de jongleurs a permis d'importantes découvertes sur la coordination main-vue. Certains des mystères de la vision ont été dévoilés par des travaux sur des peintres de talent et des aveugles. Pour ma part, j'allais cependant avoir du mal à trouver des chanceux ou des malchanceux prêts à participer à une analyse de longue haleine. En fait, je ne savais pas très bien par où commencer.

Heureusement, quelques journalistes avaient entendu parler de mon sondage. Ils m'ont contacté dans le but de consacrer un article à mon travail. Je leur ai demandé de bien vouloir préciser que j'effectuais des recherches supplémentaires et que je souhaitais entrer en contact avec des volontaires, chanceux ou malchanceux. Chaque article a été suivi d'appels et peu à peu, j'ai pu constituer ce groupe de volontaires. Il s'est étoffé au fil des ans de personnes ayant pris connaissance de mon travail par le biais de la télévision et de la radio ou sur Internet. Au total, il est constitué de plus de sept cents hommes et femmes extraordinaires. Le plus jeune est un étudiant de dix-huit ans ; le plus âgé un comptable à la retraite de quatre-vingt-quatre ans. Ils viennent de tous les horizons. Tous ont eu la gentillesse de me laisser examiner au microscope leur vie et leur cerveau. J'en ai interrogé longuement certains et j'ai demandé à d'autres de tenir un journal. Une partie d'entre eux a été conviée à prendre part à des expériences dans mon laboratoire ; l'autre chargée de remplir des questionnaires psychologiques détaillés. Ces recherches m'ont permis de rassembler une somme de renseignements imposante. J'ai constitué une pile de dossiers contenant entretiens, questionnaires et données. Rempli des boîtes et des boîtes de cassettes audio et vidéo. Grâce à leur aide, j'ai peu à peu levé le voile qui protège la vie secrète de la chance.

Vivre avec la chance

Un de mes premiers objectifs était de découvrir à quoi ressemblait une vie chanceuse ou malchanceuse. Pour cela, j'ai interrogé mes volontaires sur des événements clés de leur existence. Leurs réponses ont apporté des preuves remarquables de l'influence du bon et du mauvais sort.

Prenons par exemple le cas de Jodie, une poétesse de Philadelphie âgée de trente-six ans. Elle estime être très chanceuse, car plusieurs rencontres fortuites l'aidèrent à accomplir un grand nombre de ses rêves. Il y a quelques années, elle décida de suivre son cœur et de changer de vie.

Dès son plus jeune âge, Jodie voulait devenir écrivain et poète. En naviguant sur Internet, elle tomba sur une organisation qui encourageait et promouvait les femmes écrivains. Elle se rendit à une conférence de cette organisation. L'environnement lui plut tellement qu'elle caressa l'idée de compter parmi les intervenants de cette conférence. Quelques jours plus tard, elle tomba sur la fondatrice de l'organisation et lui confia qu'elle vivait à Philadelphie. La fondatrice lui apprit qu'ils préparaient une conférence là-bas et lui demanda si cela l'intéresserait d'y diriger un atelier. L'atelier se passa très bien et Jodie fut invitée à intervenir à la conférence suivante.

Sur un autre site, Jodie trouva des informations sur des manifestations consacrées à la poésie. Ayant remarqué qu'il n'en existait aucune à Philadelphie, elle envoya les informations. Cela lui permit de rester en contact e-mail permanent avec l'organisateur du site, Bill. Un jour où elle assistait à une lecture de poésies à New York, Jodie tomba sur Bill. Elle se présenta et ils bavardèrent. À la fin de leur conversation, Bill lui demanda si elle envisagerait de déménager à New York, afin d'aider à y mettre sur pied un festival de poésie. Cette proposition enthousiasma Jodie. Un seul problème subsistait : elle n'avait pas de point de chute à New York. Elle en fit part à Bill qui envoya un e-mail à toutes les personnes de son listing. Quelques jours plus tard, Jodie reçut un e-mail d'une dame qui lui proposait une chambre, pour un loyer très modéré, dans un quartier formidable de New York.

Voici comment Jodie m'a expliqué les effets de la chance sur sa vie :

> « J'ai une chance exceptionnelle qui m'a permis de réaliser une grande partie des aspects de ma vie qui comptent le plus pour moi. Je me sens totalement maîtresse de la situation. Tout ce que je souhaite voir arriver arrive. Et souvent très vite. C'est sidérant. »

La vie de Susan, une malchanceuse de trente-quatre ans, est fort différente. Sa malchance débuta tôt. Petite fille, elle se fendit le crâne sur un rocher en cueillant des pâquerettes, fut sauvée par les pompiers après s'être coincé le pied dans une grille et reçut sur la tête une planche tombée de la devanture d'un magasin! La malchance de Susan ne se cantonne pas à ses jeunes années. Elle se retrouve dans sa vie sentimentale. Un homme avec lequel elle avait un *blind-date** se cassa la jambe en moto en venant à sa rencontre. Le suivant se cogna dans une porte vitrée et se brisa le nez. L'église où elle devait se marier fut incendiée par des vandales l'avant-veille de son mariage.

Elle fait également état d'un catalogue stupéfiant d'accidents. Tout ce qu'elle touche se casse, explose ou se transforme en poussière. Ces accidents sont souvent loin d'être anodins. Un jour, elle se cassa un bras en tombant. Quelque temps après, nouvelle chute, autre bras cassé. Le jour où elle passa son permis de conduire, elle percuta un mur de jardin et se vit contrainte de payer les dégâts causés au véhicule qui n'était pas assuré correctement. Elle ne cesse d'avoir des problèmes au volant. Lors d'une série de coups du sort particulièrement malheureuse, elle eut plus de huit accrochages sur un trajet de soixante-quinze kilomètres. En larmes, elle m'a raconté: « Peu de gens acceptent de monter en voiture avec moi et quand je suis invitée quelque part, on me demande de rester dans mon coin. »

Je suis souvent ressorti bouleversé de conversations avec des personnes comme Susan. Manifestement, elles faisaient de leur mieux pour mener une vie heureuse, mais on aurait dit que le destin se liguait toujours contre elles. Mon impression était fort différente lorsque je m'entretenais avec des chanceux.

* Un rendez-vous avec un inconnu organisé par des amis. *(N.d.T.)*

Lee, quarante-deux ans, directeur des ventes et du marketing, fait partie des personnes les plus chanceuses ayant participé à mes travaux. Toute sa vie, le sort lui a souri. À seize ans, Lee décida de travailler dans une ferme de sa région. Il était assis à l'arrière d'un grand tracteur en stationnement relié à une grosse charrue automatique — un engin effrayant qui sert à labourer le sol avant les semailles. Un de ses amis eut alors envie de faire une petite balade en tracteur. Il ne s'aperçut pas que le mouvement du tracteur poussait Lee en avant, vers les pointes de métal pivotantes. Lee m'a expliqué ce qui s'était ensuite passé :

> « Je n'arrivais pas à me rattraper à quoi que ce soit. Sur ma gauche et sur ma droite, il n'y avait que les roues du tracteur. J'ai compris que j'allais tomber et je me rappelle que j'ai jeté un coup d'œil des deux côtés en me disant que c'était trop large pour que je saute. J'étais convaincu que ces pointes allaient me réduire en bouillie. Au moment où je commençais à glisser vers la herse, il y a eu une secousse brutale et j'ai été projeté en arrière. Le chaînon en acier inoxydable reliant le tracteur à la charrue venait de se rompre brusquement. Mon patron n'a jamais compris pourquoi, puisqu'il l'avait acheté la semaine précédente. Plus j'y pensais, plus je me disais : “Mon Dieu, Lee, quelle chance tu as eue ! Et elle ne m'a jamais quitté.” »

Le père de Lee était paysagiste et, dans sa jeunesse, Lee lui donnait souvent des coups de main. Un jour, son père lui demanda de l'aider. Lee n'avait aucune envie d'y aller, mais il se sentit obligé de le faire. C'est là qu'il rencontra la femme de ses rêves dont il tomba sur-le-champ amoureux. Ils sont mariés, et vivent heureux, depuis vingt-cinq ans. Il est tout aussi satisfait de sa vie professionnelle. Commercial depuis des lustres, il pense que la chance a joué un rôle très important dans sa réussite :

> « Je suis dans le commerce et le marketing depuis plus de vingt ans. À l'heure actuelle, je suis directeur du marketing pour une importante chaîne de magasins de jouets. Grâce à mes résultats, j'ai obtenu beaucoup de récompenses et de promotions. La chance a joué un rôle absolument essentiel dans ma réussite. En général, je me trouve au bon endroit au bon moment. J'ignore ce qui m'attire vers une entreprise donnée qui a justement un besoin criant d'un article que j'ai à leur offrir, mais ça m'arrive tout le temps. Dans l'une des sociétés où j'ai travaillé, ils n'avaient jamais vu ça: j'ai obtenu la plus grosse commande qu'on leur ait jamais passée, rien qu'en allant démarcher un client parce que je me disais qu'il aurait peut-être envie de nous acheter quelque chose. »

La chance de Lee lui a fait gagner beaucoup d'argent, ainsi qu'à son entreprise. D'autres participants à mes recherches ont été moins fortunés, comme Stephen, un éditeur londonien de cinquante-quatre ans. Toute sa vie, Stephen a été victime de malchance dans le domaine financier. Si ses déboires sont parfois anodins, il leur arrive d'avoir de graves conséquences.

Un jour, il crut gagner une grosse somme à un jeu de grattage organisé par un journal national. Mais à la suite d'une erreur d'imprimerie, plus de 34 000 personnes avaient gagné le même prix, et le journal n'accorda que quelques livres de dédommagement à chaque plaignant. Dans un autre concours, Stephen gagna un portefeuille d'actions d'une entreprise célèbre. Quelque temps après, la Bourse connut un de ses pires krachs et ces actions perdirent toute leur valeur du jour au lendemain.

À une certaine époque, Stephen loua un espace de bureau à un notaire à la retraite. Ce dernier lui proposa de l'aider à ses écritures. Les premiers mois, tout se passa fort bien, puis Stephen commença à recevoir des rappels d'impayés.

LYNNE ET LA CHANCE AU JEU

La chance de Lynne se manifesta pour la première fois à la suite de la lecture d'un article sur une dame qui avait gagné plusieurs prix importants dans des concours. Elle se dit qu'elle allait essayer elle aussi, s'inscrivit à un concours de mots croisés et empocha 10 livres. Quelques semaines plus tard, elle participa à un autre concours et gagna trois vélos de VTT. Un jour où elle se présentait au Bureau local de l'Éducation pour briguer un poste de professeur de stylisme dans un cours du soir, elle aperçut, attaché à une cafetière posée sur le bureau de la personne qui la recevait, un formulaire de concours. Elle lui demanda si elle pouvait le prendre. À la question « pourquoi ? » elle répondit qu'il lui arrivait souvent de gagner. Elle fut alors engagée pour donner, non pas un, mais deux cours du soir : l'un sur le stylisme, l'autre sur l'art de gagner les concours ! Lynne continua par ailleurs à participer à d'autres concours. Sa chance ne s'est jamais démentie et elle a remporté beaucoup d'autres prix, dont deux voitures et de nombreuses vacances à l'étranger.

Ces réussites l'aidèrent également à exaucer son ambition de longue date : devenir écrivain. En 1992, elle écrivit un livre sur l'art de gagner les concours. Pour le lancer, elle rédigea un communiqué de presse qu'elle envoya à son journal local qui lui consacra un petit article. Le lendemain, l'article fut repris par plusieurs journaux nationaux et elle fut invitée à participer à différentes émissions télévisées. Résultat : son journal local lui confia une rubrique sur l'art de gagner les concours. En 1996, Lynne reçut un coup de fil d'un célèbre quotidien. Ils avaient lu ses articles et lui demandaient eux aussi de tenir une rubrique quotidienne sur les concours. Intitulée « Gagner avec Lynne », cette rubrique remporta un grand succès et dura plusieurs années.

Lynne est enchantée de son existence. Elle a satisfait nombre de ses ambitions de jeunesse, elle est heureusement mariée depuis quarante ans et sa vie de famille la comble. Comme bien d'autres personnes qui ont contribué à mes recherches, elle attribue sa chance à la bonne fortune.

Il finit par découvrir que non seulement le notaire ne payait pas les factures, mais qu'il se servait dans les caisses de l'entreprise. Stephen s'efforça de la maintenir à flot, mais le stress eut raison de sa santé, pourtant florissante jusque-là. Il fut victime d'une grave crise cardiaque et contraint de mettre son entreprise en liquidation. Depuis lors, il est au chômage.

Un jour, il m'a confié :

> « À présent je n'ai plus ni société ni argent. Je me suis toujours dépensé à 101 % et il m'arrive parfois de me dire que quelqu'un, là-haut, aurait pu me donner un coup de main un peu plus juste... Je pense mériter mieux que ce que j'ai reçu, mais j'imagine que c'est comme ça que les cartes ont été distribuées. »

Après avoir interrogé un grand nombre de chanceux et de malchanceux, j'ai analysé leurs propos afin de dégager des constantes. J'ai trouvé quatre différences essentielles entre les chanceux et les malchanceux :

1. Les chanceux bénéficient constamment de hasards heureux. Ils rencontrent des gens qui vont exercer un impact très positif sur leur vie ou remarquent des occasions intéressantes en lisant la presse. À l'inverse, les malchanceux font rarement ce genre d'expériences ou souvent rencontrent des personnes qui ont un effet négatif sur leur vie.

2. Les chanceux prennent les bonnes décisions sans en avoir conscience. Ils semblent savoir d'instinct si une décision d'ordre professionnel est sensée ou s'ils ne doivent pas accorder leur confiance à quelqu'un. Échec et démoralisation ont au contraire tendance à résulter des décisions des malchanceux.

3. Les rêves, les ambitions, les objectifs des chanceux se concrétisent mystérieusement. Là encore, le processus

s'inverse chez les malchanceux dont les rêves et les ambitions ne dépassent pas le stade du fantasme illusoire.

4. Les chanceux ont également le don de transformer leur malchance en bonne fortune. Les malchanceux ne l'ont pas et leur malchance ne provoque que bouleversement et gâchis.

Ces deux groupes présentaient donc des différences frappantes. Mais pourquoi? Pour quelle raison tout fonctionnait pour les uns, et pas pour les autres?

Certains auteurs estiment que les chanceux et les malchanceux ont peut-être recours à une faculté d'ordre paranormal pour attirer la bonne fortune ou le mauvais sort dans leur vie. On comprend facilement pourquoi ils font cette spéculation. Prenons les cas de Susan et de Lynne. Les chanceux, comme Lynne, gagnent peut-être des concours parce qu'ils sont capables, sans en avoir conscience, d'utiliser des pouvoirs psychiques singuliers pour deviner la réponse gagnante. De son côté, Susan possède peut-être aussi des facultés psychiques singulières, mais qu'elle utilise pour s'autodétruire, si bien que les événements se retournent toujours contre elle.

Cette hypothèse ne manquait pas d'intérêt, et j'avais besoin de l'étudier de plus près. Cependant il est loin d'être aisé de découvrir si les chanceux ont davantage de qualités paranormales que les malchanceux!

Il me restait donc à organiser une manifestation au cours de laquelle un très grand nombre de personnes exceptionnellement chanceuses ou malchanceuses auraient à prédire l'issue d'un événement aléatoire.

La chance et le loto

Je venais de commencer mes recherches quand j'ai reçu un appel d'un producteur de télévision. Il préparait un nouveau programme scientifique pour la BBC, destiné à être diffusé à une heure de grande écoute, et souhaitait le rendre interactif. Il ne voulait pas se contenter d'avoir des téléspectateurs, mais aussi de les faire participer à son émission. Il m'a demandé si j'avais des idées d'expériences intéressantes. J'ai organisé une réunion avec mon assistant, le Dr Matthew Smith, et un autre psychologue, le Dr Peter Harris, afin de réfléchir à la manière dont nous pouvions utiliser cette occasion pour tester les facultés paranormales des chanceux et des malchanceux. La solution, d'une simplicité biblique, nous est subitement venue à l'esprit : pourquoi ne pas leur demander de prédire les numéros gagnants du loto national ? C'était parfait. Nous aurions des millions de téléspectateurs, si bien que tout appel lancé à des personnes particulièrement chanceuses ou malchanceuses nous assurait d'un grand nombre de participants. Le tirage du loto est totalement aléatoire et ces personnes auraient à cœur de trouver les bons numéros.

L'émission fut suivie par environ treize millions de téléspectateurs. Un peu avant la fin, un petit film exposant notre projet sur la chance fut diffusé. La production avait contacté Lynne et Susan et leur avait consacré de brefs reportages. Un appel fut lancé auprès des personnes pensant être particulièrement chanceuses ou malchanceuses qui avaient l'intention de jouer au loto cette semaine-là, auxquelles on demanda de se mettre en contact avec l'émission. Nous nous attendions à recevoir quelques centaines de coups de fil. En quelques minutes nous étions submergés par un million d'appels !

Un questionnaire simple fut envoyé aux mille premiers correspondants. Pour jouer au loto britannique, comme au loto français, il faut cocher six numéros sur une grille de quarante-neuf chiffres. Chaque billet coûte une livre et on peut acheter autant de billets qu'on le souhaite. Notre questionnaire allait nous permettre de les classer en chanceux ou malchanceux (voir encadré pages 47-48). D'autre

Exercice 3 : Le Questionnaire de la Chance

Mes collègues et moi-même avons conçu une classification simple et fiable des participants que nous avons divisés en Chanceux, Malchanceux et Neutres (à savoir ni l'un ni l'autre). Après avoir examiné les événements survenus dans la vie des uns et des autres, nous avons établi deux brefs profils, l'un d'un individu typiquement chanceux, l'autre d'un individu typiquement malchanceux. Nous demandons aux participants de les lire et de leur accorder une note correspondant à leur cas. Vous trouverez ce questionnaire ci-après. Veuillez prendre quelques minutes pour le lire, inscrire vos notes dans votre Journal de Chance et voir à quelle catégorie vous appartenez.

Veuillez lire les descriptions suivantes et pour chacune, indiquer dans quelle mesure elles vous correspondent, en attribuant une note de 1 à 7 dans l'espace prévu à cet effet :

Ne me correspond pas du tout							Me correspond tout à fait
1	2	3	4	5	6	7	

Profil chanceux : les chanceux sont des personnes qui semblent constamment bénéficier d'événements à mettre au compte du hasard. Par exemple ils gagnent plus souvent que la moyenne aux tombolas et au loto, ils rencontrent fortuitement des gens susceptibles de leur donner un coup de main d'une manière ou d'une autre et leur bonne étoile les aide beaucoup à réaliser leurs ambitions et leurs objectifs.

Dans quelle mesure cette description vous correspond-elle ?

Profil malchanceux: les malchanceux sont tout à fait à l'opposé. Les événements en apparence fortuits ont tendance à jouer contre eux. Ils ne gagnent par exemple jamais rien dans les concours, semblent impliqués dans des accidents dont ils ne sont pas responsables, sont malheureux en amour ou ont beaucoup de pépins attribuables au mauvais sort dans leur vie professionnelle.

Dans quelle mesure cette description vous correspond-elle?

Résultats:

Les réponses permettent d'établir une classification entre chanceux, malchanceux et neutres. Cette classification est simple. Il vous suffit de créer un « Score Chance » en soustrayant la note que vous avez donnée au **Profil malchanceux** de celle que vous avez donnée au **Profil chanceux.**

Par exemple, si vous avez accordé la note 5 au premier profil et la note 1 au second, votre Score Chance sera de + 4.

Si vous avez donné la note 2 au premier profil et la note 7 au second, vous obtiendrez un Score Chance de – 5.

À l'inverse, si vous accordez 5 au premier profil et 4 au second, votre Score Chance sera de + 1.

Si vous obtenez un Score Chance de 3 ou plus, vous faites partie des chanceux; si vous obtenez un Score Chance de – 3 ou moins, vous faites partie des malchanceux. Toutes les personnes obtenant d'autres scores appartiennent à la catégorie neutre.

En conséquence, les Scores Chances + 4, – 5 et + 1 correspondront respectivement à Chanceux, Malchanceux et Neutres.

part, ils devaient nous communiquer les numéros qu'ils avaient l'intention de jouer au prochain tirage.

Les formulaires nous ont été retournés rapidement. Nous n'avions que quelques jours avant le tirage, si bien que nous avons dû procéder vite. Nous avons reçu sept cents réponses au total. Ces personnes avaient l'intention à elles seules d'acheter deux mille billets de loto. Bien vite, nous nous sommes aperçus que nous étions en possession de renseignements hors du commun.

Imaginez qu'il existe véritablement un lien entre la chance et les facultés paranormales, que les chanceux cochent effectivement davantage de numéros gagnants que les malchanceux. Si tel était le cas, les chiffres sélectionnés par les personnes chanceuses étaient les plus susceptibles de correspondre aux numéros gagnants. Pour trouver ces derniers, il nous suffisait donc de choisir ceux sélectionnés par les chanceux et d'éviter les autres.

Nous avons débattu du côté éthique de notre expérience. Puis nous avons procédé au tri des données. Nous avons constaté que certains des chiffres sélectionnés par les chanceux ne figuraient pas dans le choix des malchanceux. Souvent, il s'agissait de différences minimes, mais néanmoins potentiellement vitales. L'analyse détaillée des données nous a amenés à conclure que les chiffres les plus réguliers à sortir étaient les 1, 7, 17, 29, 37 et 44. Pour la première et unique fois de ma vie, j'ai acheté un billet de loto.

Le tirage du loto britannique a lieu en direct à la télévision tous les samedis soir en prime time. Comme d'habitude, les quarante-neuf boules furent placées dans la machine tournante et six boules, plus le numéro supplémentaire, furent tirés au sort. Les numéros gagnants étaient : 2, 13, 19, 21, 45 et 32. Je n'avais coché aucun bon numéro.

Nos sept cents participants s'en étaient-ils mieux tirés que moi ? Parmi eux, trente-six avaient gagné une maigre somme d'argent. Ils se divisaient à égalité entre chanceux

EXERCICE 4 : INDICE DE SATISFACTION DE VIE ET CHANCE

Cet exercice concerne la satisfaction que vous apporte actuellement votre vie. Veuillez inscrire les catégories suivantes sur une page vierge de votre journal :

Ma vie en général
Ma vie de famille
Ma vie privée
Ma situation financière
Ma santé
Ma carrière

À présent, veuillez choisir un chiffre entre 1 et 7, à l'aide de l'échelle suivante, qui indiquera dans quelle mesure vous êtes satisfait de cet aspect donné de votre vie.

Totalement insatisfait							Totalement satisfait
1	2	3	4	5	6	7	

Score : Des études antérieures ayant utilisé ce genre de questionnaire ont établi que les individus ont un indice de satisfaction généralement stable, correspondant à celui de leur bonheur et de leur qualité de vie.

Additionnez vos scores et à l'aide de l'échelle ci-dessous, découvrez si votre Indice de satisfaction de vie est bas, moyen ou élevé.

Les scores bas se situent entre 6 et 26

Les scores moyens se situent entre 27 et 32

Les scores élevés se situent entre 33 et 42

J'ai fait remplir ce questionnaire à un grand nombre de chanceux, de neutres et de malchanceux durant mes recherches. Vous trouverez les résultats dans le graphique ci-dessous. Les chanceux sont bien plus satisfaits de tous les domaines de leur vie que les malchanceux et les neutres. Les malchanceux montrent la plus grande insatisfaction constante.

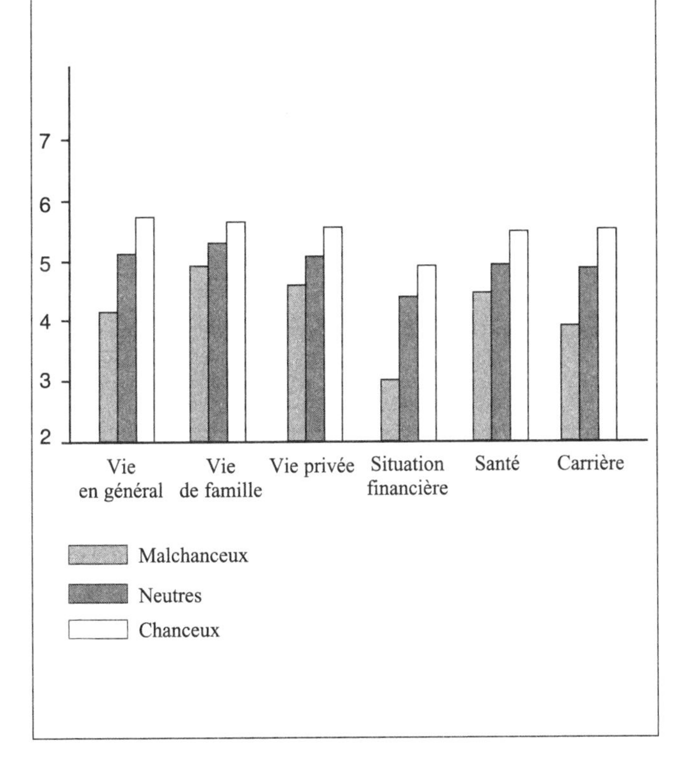

et malchanceux. Deux personnes seulement avaient coché quatre bons numéros et gagné cinquante-huit livres chacune. L'une d'elles s'était classée au départ dans la catégorie des chanceux, l'autre dans celle des malchanceux. En moyenne, chaque chanceux et malchanceux avait acheté trois billets, trouvé un chiffre par billet et perdu 2,50 livres.

Si les chanceux avaient des facultés paranormales supérieures aux autres, ils auraient dû cocher davantage de bons numéros et gagner plus d'argent. Mais en fin de compte, les chanceux ne s'en sortaient pas mieux que les malchanceux. Ces résultats ne corroboraient absolument pas la théorie selon laquelle la chance provient d'une forme quelconque de pouvoir paranormal.

La chance et l'intelligence

Hormis les facultés paranormales, qu'est-ce qui pouvait expliquer les différences entre les chanceux et les malchanceux ? Ne s'agissait-il pas simplement d'une question d'intelligence ? Des personnes comme Jodie et Lee étaient peut-être tout simplement plus intelligentes que Susan et Stephen, d'où leur réussite supérieure dans la vie. Pour déterminer l'exactitude de cette théorie, j'ai fait remplir le Questionnaire de la Chance à des sujets et je leur ai fait passer des tests mesurant deux formes d'intelligence verbale et non verbale. Ces tests, utilisés dans des milliers d'expériences psychologiques de par le monde, permettent d'essayer d'évaluer comment les sujets s'en sortiront à l'école et au lycée ainsi que dans certains types de professions.

J'ai calculé le nombre de réponses correctes et comparé les scores des chanceux et des malchanceux. En gros, les trois groupes obtenaient à peu près les mêmes scores aux deux tests d'intelligence. Les chanceux ne s'en tiraient pas mieux que les malchanceux. La comparaison entre les scores des uns et des autres et ceux des neutres ne montrait pas non plus de différences. Ces résultats démontraient donc clairement que la chance n'a rien à voir avec l'intelligence.

VERS LES QUATRE PRINCIPES

Bien que mes travaux eussent prouvé que la chance n'était liée ni à des facultés paranormales ni à l'intelligence, il existait peut-être un autre moyen d'exercer une influence mentale sur elle. Pose-t-on le même regard sur la vie quand on est chanceux ou malchanceux, et si ce n'est pas le cas, des points de vue différents provoquent-ils les événements positifs ou négatifs de notre existence ? On considère en général que la chance est une force extérieure : elle nous sourit ou elle ne nous sourit pas. Mais si nous forgions notre propre chance ? Si les chanceux et les malchanceux étaient, dans une très large mesure, responsables de ce qui leur arrive, en bien ou en mal ?

Le questionnaire du loto m'avait apporté un indice. Il demandait aux participants s'ils s'attendaient à gagner. Ces derniers devaient entourer d'un cercle un chiffre de 1 à 7, pour indiquer dans quelle mesure ils étaient persuadés de gagner cette semaine-là. Leurs réponses m'ont sidéré. Comme le montre le graphique ci-dessous, *les chanceux s'attendaient deux fois plus souvent à gagner que les malchanceux.*

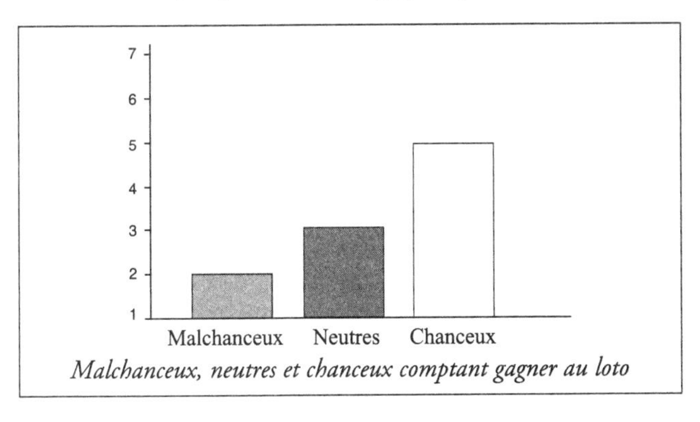

Malchanceux, neutres et chanceux comptant gagner au loto

De telles attentes, dans un domaine d'ordre aléatoire comme le loto, n'ont pas grande importance. Un candidat persuadé de gagner obtiendra le même résultat qu'un autre qui en doute beaucoup. Mais la vie n'est pas une loterie et ce sont souvent nos attentes qui font toute la différence. Elles jouent un rôle dans notre décision de tenter ou non quelque chose, dans notre acharnement face à l'échec, dans notre interaction avec les autres et l'interaction des autres avec nous. Il me paraissait essentiel de tester cet aspect des choses et au cours des années suivantes j'ai consacré mes efforts à comprendre le mode de réflexion et le comportement des chanceux et des malchanceux.

J'ai fini par identifier les mécanismes psychologiques qui sous-tendent les quatre différences essentielles entre une vie chanceuse et une vie malchanceuse. Ce sont les quatre principes de la chance. Chacun d'eux se divise en sous-principes, au nombre de douze. La compréhension de ces quatre principes et de ces douze sous-principes nous éclaire définitivement sur la chance elle-même.

Les quatre chapitres suivants vont vous les décrire en détail. Ils retracent les différentes études que j'ai menées pour les découvrir et l'impact qu'ils exercent sur la vie des chanceux et des malchanceux. J'ai introduit beaucoup d'anecdotes tirées de la vie des personnes qui ont eu la gentillesse de participer à mes travaux, et je vous propose de nombreuses occasions de mesurer le rôle de ces principes dans votre vie.

II
Les quatre principes de la chance

« La chance, c'est croire qu'on est chanceux. »

Tennessee Williams

« Je crois beaucoup à la chance et je constate que plus je travaille, plus j'en ai. »

Thomas Jefferson

3
Premier principe
TIRER LE MAXIMUM DES OCCASIONS FORTUITES

PRINCIPE : LES CHANCEUX CRÉENT ET AGISSENT SELON LES OCCASIONS FORTUITES QUI SE PRÉSENTENT À EUX ET EN TIRENT PROFIT DANS LEUR EXISTENCE

Les vies des chanceux abondent en occasions favorables. Dans le chapitre précédent, j'ai évoqué celle de Jodie, la poétesse pour laquelle les rencontres de fortune ont permis de réaliser ambitions et rêves. Je vous ai présenté Lee, un directeur du marketing, qui a le don de se trouver toujours au bon endroit au bon moment. Il a fait connaissance de sa future épouse par hasard et attribue une grande partie de sa réussite professionnelle au compte de rencontres heureuses. Je vous ai également parlé de la vie de Lynne, gagneuse régulière de concours. Elle a bifurqué le jour où Lynne est tombée par hasard sur un article qui racontait comment une dame avait gagné plusieurs concours. Lynne, Jodie et Lee sont très représentatifs des chanceux qui ont participé à mon enquête. Sans qu'ils les cherchent, les occasions favorables se présentent à eux.

Les chanceux sont souvent convaincus que ces occasions ne sont dues qu'au pur hasard. Ils ouvrent le journal à la bonne page, marchent dans la rue au bon moment ou font une rencontre dans une réception. Or mon travail a révélé qu'elles sont en fait provoquées par leur attitude psychologique. Il s'agit d'individus ayant un mode de réflexion et un comportement qui les rendent beaucoup plus susceptibles de créer ou de remarquer des occasions favorables et d'en tirer profit. À partir de cette constatation, j'ai recensé les techniques cachées qu'ils utilisent pour les faire fructifier au maximum. J'ai découvert que quand on se trouve au bon endroit au bon moment, c'est tout simplement parce qu'on est dans le bon état d'esprit.

Nous allons illustrer ce concept au moyen d'un exemple très simple. Wendy, une femme au foyer de quarante ans, se considère comme chanceuse dans bien des domaines, mais surtout dans celui des concours. Elle en gagne en moyenne trois par semaine. Certains des prix sont modestes, d'autres substantiels. Au cours des cinq dernières années, elle a gagné plusieurs sommes rondelettes et de grands voyages à l'étranger. En apparence, elle possède un don magique pour gagner les concours. Et elle n'est pas la seule. Lynne est elle aussi abonnée aux gros prix des concours, puisqu'elle a déjà gagné des voitures et des vacances. Il en va de même avec Joe qui s'estime très chanceux dans de nombreux domaines. Heureux en ménage depuis quarante ans, il est entouré d'une famille aimante. Mais lui aussi est un as des concours. Ces derniers temps, il a gagné des télévisions, une journée sur le tournage d'un célèbre feuilleton télévisé et plusieurs séjours de vacances.

Qu'est-ce qui se cache derrière la gagne de Wendy, Lynne et Joe ? Leur secret est en fait très simple : tous les trois participent à de nombreux concours. Chaque semaine, Wendy répond à une soixantaine d'entre eux par la poste et à environ soixante-dix sur Internet ! Lynne et Joe, de leur côté, participent à une cinquantaine de concours. Leurs chances de gagner sont donc multipliées et tous les trois sont conscients que leurs résultats sont dus au nombre de leurs participations. « Je suis chanceuse, m'a dit Wendy, mais on a la chance qu'on mérite. Je gagne beaucoup de concours et de prix. Mais j'y mets beaucoup d'efforts. » Quant à Joe, il déclare :

> « Vu le nombre de prix que je remporte, les gens trouvent toujours que je suis chanceux. Mais quand ils me confient ensuite qu'ils ne participent que rarement à des concours, je me dis : "Si tu ne participes pas, tu ne risques pas de gagner." Ils me considèrent comme chanceux, mais à mon avis, on crée sa propre chance... "Il faut participer pour gagner", voilà ce que je leur dis. »

Cette attitude pouvait-elle être à l'origine du nombre étonnant d'occasions favorables qui truffe la vie des chanceux ? Expliquait-elle pourquoi ils rencontrent des gens intéressants dans les réceptions et tombent sur des articles qui modifient le cours de leur vie ? Quelle réalité se cache derrière l'illusion ? Et mes recherches ont révélé que tout peut se résumer à un seul mot : la personnalité.

On dit des individus qui ont tendance à avoir des raisonnements et une attitude similaires qu'ils ont la même personnalité. Le concept de personnalité occupe une place centrale dans la psychologie contemporaine et une somme considérable de temps et d'efforts a été consacrée à évaluer le plus précisément possible la personnalité des individus et à procéder ensuite à leur classement.

Après des années de recherches, la plupart des psychologues s'accordent à dire que nos personnalités ne sont caractérisées que par cinq dimensions essentielles. Cinq dimensions qui varient pour chacun d'entre nous. On les a trouvées chez les jeunes et les adultes, les hommes et les femmes et dans des cultures très différentes. On les appelle le plus souvent Bonne Volonté, Conscience, Extraversion, Tendance à la névrose et Ouverture d'esprit.

J'ai comparé les scores des chanceux et des malchanceux dans chacune de ces cinq dimensions. J'ai commencé par celle baptisée « Bonne Volonté ». Il s'agit du degré de sympathie manifesté à l'égard des autres et de l'empressement à les aider. Les chanceux devaient-ils leur bonne fortune à une propension à aider les autres, qui inciterait ces derniers à leur rendre la pareille? Constatation intéressante, les chanceux manifestaient davantage de bonne volonté que les malchanceux.

Je suis passé à la seconde dimension, celle de la Conscience, qui mesure le degré d'autodiscipline, de résolution et de détermination. Les chanceux devaient-ils leur bonne fortune au fait d'être plus consciencieux dans le travail que les malchanceux? En l'occurrence, les différences entre mes deux groupes de sujets étaient fort minces.

En revanche, mes groupes obtenaient des scores très divergents dans les trois dernières dimensions, à savoir Extraversion, Tendance à la Névrose et Ouverture d'esprit. J'y ai constaté des différences frappantes, expliquant pourquoi les chanceux bénéficient sans arrêt d'heureuses interventions du sort, contrairement aux malchanceux. Chacune d'entre elles constitue un sous-principe différent.

SOUS-PRINCIPE 1 : LES CHANCEUX CONSTRUISENT ET ENTRETIENNENT UN SOLIDE « RÉSEAU DE CHANCE »

D'après mes travaux, les chanceux obtiennent un score beaucoup plus élevé que les malchanceux dans la dimension de l'Extraversion. Les extravertis sont beaucoup plus sociables que les introvertis. Ils se plaisent à consacrer du temps à leurs amis, à assister à des réceptions, et ont tendance à être attirés par des métiers qui impliquent un travail où le collectif joue un rôle important.

Le caractère extraverti des chanceux augmente de manière significative la probabilité de rencontres profitables pour trois raisons: ils font de nombreuses connaissances, ils attirent les gens comme des aimants et ils gardent le contact.

Pour commencer, à l'image de Wendy, Lynne et Joe qui multiplient leurs chances de gagner en participant à de nombreux concours, les chanceux augmentent les probabilités de faire des rencontres fructueuses en côtoyant quotidiennement beaucoup de monde. Il est bien évident que plus ils font de connaissances, plus ils ont de chances de tomber sur quelqu'un qui exercera un impact positif sur leur vie.

Prenons le cas de Robert, quarante-cinq ans, ingénieur dans l'aviation. La chance lui sourit et sa vie est truffée de rencontres profitables.

Il y a quelques années, Robert et sa femme étaient allés célébrer le réveillon du Nouvel An en France. Lorsqu'ils voulurent prendre l'avion pour regagner l'Angleterre, les pistes étaient fermées en raison d'abondantes chutes de neige. Ils prirent la décision d'emprunter le ferry à Boulogne. Un problème se posa alors à eux. Le ferry les débarquerait dans un port très éloigné de leur résidence et, comme en France, les transports publics anglais étaient paralysés à cause des intempéries. Pendant qu'ils évoquaient ce problème, un couple de concitoyens qui

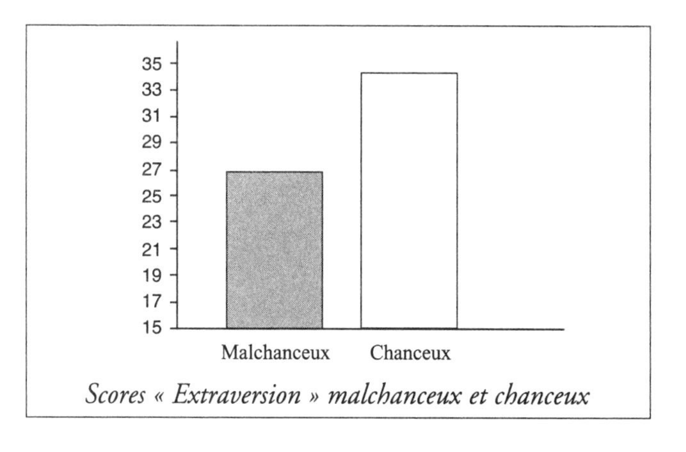

Scores « Extraversion » malchanceux et chanceux

allait également prendre le ferry entra dans la salle d'attente. Robert entama une conversation avec eux et s'aperçut vite que ces personnes habitaient non loin de chez eux. Ce couple offrit à Robert et à sa femme de les déposer au passage. En quelques minutes, le problème de Robert avait été résolu.

À une époque de leur vie, Robert et son épouse souhaitaient déménager. Ils avaient visité plusieurs maisons, dont aucune ne leur plaisait. Un jour où il marchait dans la rue principale de sa ville, Robert tomba sur un agent immobilier de sa connaissance. Au lieu de passer son chemin, il lui demanda s'il avait des maisons correspondant à celle qu'il cherchait. L'agent immobilier lui répondit par la négative et s'éloigna. Quelques secondes plus tard, il rebroussa chemin pour suggérer à Robert d'aller visiter une maison qui venait d'être mise en vente. Robert s'y rendit sur-le-champ, eut un coup de cœur et l'acheta le jour même. Cela fait aujourd'hui vingt ans que Robert et sa femme vivent dans la maison de leurs rêves.

Lorsque je l'ai interrogé, Robert s'est décrit comme très entreprenant et liant. Il m'a confié qu'il bavardait souvent avec les personnes faisant la queue comme lui à la caisse d'une grande surface et qu'il entamait fréquemment des conversations avec des inconnus. Il en tire un véritable plaisir. Plus il fait de connaissances, plus il a de chances de tomber sur quelqu'un qui exercera un impact bénéfique sur sa vie.

Joseph, étudiant de trente-cinq ans, a également bénéficié de nombreuses rencontres fortuites qui ont modifié le cours de sa vie. Jeune, il avait du mal à s'insérer dans le cadre scolaire et s'attirait sans cesse des ennuis avec la police. À l'approche de la trentaine, il avait fait de la prison et dérivait d'un job à l'autre. C'est alors qu'une rencontre changea sa vie. Il se trouvait à bord d'un train qui tomba en panne en rase campagne. Pour passer le temps, Joseph entama une conversation avec la femme assise à côté de lui. Elle était psychologue, si bien qu'ils en vinrent à parler des tendances autodestructrices de Joseph. Impressionnée par sa perspicacité et sa sociabilité, cette femme lui laissa entendre qu'il pourrait devenir un excellent psychologue. La panne terminée, ils se quittèrent à la gare suivante mais l'idée resta ancrée dans le cerveau de Joseph. Il se renseigna sur les études et la formation nécessaires pour devenir psychologue. Plus il se documentait, plus cette perspective lui plaisait. Pour finir, il prit la décision de modifier complètement son style de vie et d'entrer à l'université. Il termine actuellement ses études de psychologie et obtiendra son diplôme l'an prochain.

Mais le tableau ne s'arrête pas là. Les chanceux ont une autre façon de multiplier la probabilité de ces rencontres de hasard, qui tourne autour d'un concept connu sous le nom de « magnétisme social ». Les psychologues ont remarqué que certains individus semblent capables d'attirer les autres vers eux. Dans les réceptions ou les réunions, des personnes qu'ils ne connaissent pas ouvrent souvent une conversation avec ces « aimants sociaux ». Il en va de même dans la rue, où on s'adresse fréquemment à eux pour obtenir un renseignement. On dirait qu'ils exercent une attirance mystérieuse sur leur prochain. Vous ne serez donc pas surpris qu'un plus grand nombre d'extravertis que d'introvertis soient des « aimants sociaux ».

Des recherches ont démontré que l'attirance qu'exercent à leur insu ces « aimants sociaux » est due à la séduction de leur langage corporel et de leurs expressions faciales. Or les chanceux ont le même genre de comportement. J'ai demandé à un groupe de psychologues de visionner des entretiens que j'avais effectués avec des chanceux et des malchanceux. Pour qu'il leur soit impossible de les classer a priori dans l'une ou l'autre catégorie, j'ai coupé le son. Je les ai priés de noter les expressions et le comportement de mes sujets. Ils ont compté le nombre de leurs sourires, les contacts visuels qu'ils établissaient avec moi et certains de leurs gestes.

Entre chanceux et malchanceux, les variantes étaient énormes. Les chanceux souriaient deux fois plus et cherchaient beaucoup plus souvent mon regard. Plus significatif encore, les deux groupes avaient un langage corporel tout à fait opposé. On parle de langage corporel « fermé » à propos des individus qui croisent les bras et les jambes et qui se détournent de leur interlocuteur. Dans le langage corporel « ouvert », on constate exactement l'inverse : les gens placent leur corps en direction de leur interlocuteur, décroisent les bras et les jambes et font souvent des gestes avec leurs paumes ouvertes. Cette analyse que j'ai menée avec des psychologues a révélé que les chanceux avaient recours en moyenne trois fois plus souvent à ces gestes « ouverts » que les malchanceux.

Afin d'étudier plus loin les conséquences d'une telle attitude dans la vie quotidienne, j'ai demandé ensuite aux psychologues de noter l'impression qu'exerçaient sur eux les sujets interrogés et de préciser s'ils entameraient une conversation avec eux, dans une soirée ou dans un transport public. Là aussi, les résultats ont été étonnants. Les chanceux donnaient d'eux-mêmes une image beaucoup plus gaie, dynamique et énergique que les malchanceux. Le plus souvent, c'était à eux que les psychologues auraient préféré s'adresser ou près d'eux qu'ils auraient aimé s'asseoir dans un train ou un avion.

Démonstration était donc faite que le langage corporel et les expressions faciales des chanceux sont attirants. Et je le répète, plus ils font de rencontres, plus ils ont de chances que certaines soient fructueuses. Plus ils bavardent dans une réception, plus ils ont de chances de rencontrer le ou la partenaire de leur rêve. Plus ils parlent travail, plus ils ont de chances de rencontrer un client ou quelqu'un susceptible d'exercer un impact positif sur leur vie professionnelle.

Mais le tableau n'était pas encore complet. Ce n'est pas uniquement en entamant des conversations avec des étrangers et en exerçant un magnétisme social que les extravertis chanceux multiplient les probabilités de vivre une vie truffée d'occasions favorables. Ils parviennent en outre à construire des relations fortes et durables avec les personnes qu'ils rencontrent. Ils sont d'un abord facile et la plupart du temps très appréciés. Ils ont tendance à être confiants et à nouer de vraies amitiés. Au bout du compte, ils gardent le contact avec un nombre bien plus large d'amis et de collègues de travail que les malchanceux. Et maintes et maintes fois, ce réseau d'amis les aide à concrétiser les occasions favorables qui se présentent sur leur chemin.

Prenons le cas de Kathy, une administratrice de cinquante ans. Kathy estime être très chanceuse dans tous les domaines de sa vie. Elle est mariée depuis vingt-trois ans et a deux enfants en bonne santé. Elle dit se trouver toujours au bon endroit au bon moment. Il y a quelques années, elle voulut reprendre un emploi après s'être consacrée pendant plusieurs années à l'éducation de ses enfants. Un de ses amis de longue date vint prendre un verre chez elle. Il lui raconta qu'il venait de changer de travail et qu'il allait bientôt passer une annonce pour trouver une assistante. Comme Kathy lui confiait son désir de retravailler, il lui conseilla de poser sa candidature. Elle obtint le poste. Six ans plus tard, elle travaille toujours avec cet ami et son emploi lui plaît beaucoup. Kathy m'a confié qu'elle attribue une grande partie de sa chance à son attitude à l'égard des autres :

> « Je collectionne les gens. Je les aime bien et je n'ai aucune difficulté à me faire des amis. De plus, j'essaie

> de rester en contact avec tous. C'est difficile, mais je fais de gros efforts pour y parvenir. »

Kathy a formé un réseau impressionnant d'amis et de collègues. À l'occasion de son anniversaire, elle donne un dîner pour ses cinquante amis les plus proches. Elle garde le contact avec des personnes de tous les coins du monde et de toutes les périodes de sa vie.

Kathy n'est pas la seule personne chanceuse à souligner l'importance du maintien des relations avec les amis et les collègues. Dans le chapitre précédent, nous avons rencontré Jodie, la poétesse qui vit à présent à New York. Depuis deux ans la chance lui sourit et des rencontres fortuites l'ont aidée à réaliser nombre de ses ambitions et de ses rêves. Jodie augmente la probabilité de ces rencontres en entamant des conversations et en gardant le contact avec ses nouvelles connaissances. Elle est très liée à son réseau d'écrivains et de poètes et connaît des centaines de personnes par leur prénom. Je lui ai demandé de me parler de cet aspect de sa vie :

> « En fait, je me contente d'établir un lien avec les autres. Mes interactions sont totalement sincères et authentiques, j'accorde vraiment de l'importance à mes relations. Je n'ai pas la sensation d'être un écrivain terré dans son trou. Le tout est de communiquer, de posséder un endroit qu'on appelle son chez-soi… mais qui n'a rien à voir avec la géographie. Notre foyer, c'est la communauté à laquelle nous appartenons. Le jour où j'ai réalisé quelle était la mienne — qui me soutient, avec qui je me sens en famille —, je me suis appliquée à la nourrir et à maintenir le contact avec ses membres. »

Ces techniques se révèlent souvent efficaces, car elles permettent de créer un vaste « réseau de chance ». Les sociologues ont estimé que nous connaissons en moyenne trois cents personnes par leur prénom. Lorsque nous rencontrons quelqu'un et que nous bavardons avec, nous ne sommes qu'à une poignée de main, qu'à un pas, des personnes qu'il connaît. Imaginons qu'au cours d'une réception, vous entamiez une conversation avec une dame prénommée Sue. Vous ne l'avez jamais rencontrée, mais vous la trouvez sympathique et vous lui dites au passage que vous avez envie de changer de travail. Il est peu probable que Sue pourra vous engager, mais elle connaît peut-être quelqu'un qui sera en mesure de le faire. En bavardant avec Sue, vous n'êtes qu'à une poignée de main des trois cents personnes qu'elle connaît par leur prénom. Mais les choses ne s'arrêtent pas là. Chacun des amis de Sue connaît aussi trois cents personnes. Sue pourra vous présenter à quelqu'un susceptible de connaître quelqu'un que votre candidature intéressera. Il vous a suffi de dire bonsoir à Sue pour n'être qu'à une poignée de main d'environ 300 x 300 personnes, soit de quatre-vingt-dix mille éventualités d'une occasion favorable!

Revenons à l'anniversaire de Kathy et à ses cinquante invités. Assumons que chacun d'eux connaît par leur prénom environ trois cents personnes qui chacune, en connaît aussi en moyenne trois cents. Assise à sa table d'anniversaire, Kathy n'est qu'à une poignée de main de quinze mille personnes et à deux poignées de main de quatre millions et demi de personnes! Étant donné le nombre de ces contacts potentiels, on ne s'étonnera pas que les occasions heureuses jouent un rôle si important dans sa vie.

À leur insu, les chanceux se conduisent d'une façon qui multiplie pour eux au maximum les occasions favorables. Ils bavardent avec beaucoup de gens, leur consacrent du temps, sont attirants et cultivent leurs contacts. Ce comportement aboutit à un vaste « réseau de chance » et à un potentiel énorme d'occasions fructueuses.

Or il ne suffit que d'une heureuse rencontre pour changer une vie.

CONSTRUIRE UN « RÉSEAU DE CHANCE »

Jessica, anthropologue médico-légale à Chicago, a eu de la chance toute sa vie.

« J'ai un métier idéal, deux enfants merveilleux et un compagnon formidable dont je suis très amoureuse. Lorsque je jette un regard en arrière, je m'aperçois avec stupéfaction que j'ai eu de la chance dans presque tous les domaines. Qu'il s'agisse de mes études, de mes amitiés, de mes rencontres avec certaines personnes, du fait de me trouver au bon endroit au bon moment, je n'arrive pas à en trouver un seul dans lequel la chance ne m'a pas souri. »

Jessica a été exceptionnellement chanceuse dans sa vie sentimentale. Elle n'a jamais eu de mal pour rencontrer des compagnons et vivre avec eux une relation durable. Cela fait actuellement sept ans qu'elle partage la vie d'un homme qu'elle considère comme « parfait ». Je lui ai demandé de me faire le récit de leur rencontre.

« J'ai fait sa connaissance tout à fait par hasard dans une soirée. Une amie m'a téléphoné à la dernière seconde pour me demander si je voulais bien l'accompagner à un dîner. Je n'avais pas l'intention de sortir, mais je me suis dit que ça me ferait du bien. C'est là que j'ai rencontré l'amour de ma vie. Lui aussi avait été traîné par un ami. Nous avons tellement apprécié notre conversation que nous avons décidé sur-le-champ de nous retrouver le lendemain pour prendre un café. C'est ainsi que tout a commencé. »

J'ai demandé à Jessica de m'expliquer ce qu'il y avait derrière sa chance :

« Elle provient en grande partie d'une certaine capacité à sortir de ma coquille. Quand on est occupé, actif, on rencontre beaucoup de monde et on pénètre dans d'autres sphères. C'est ainsi que se sont présentées à moi certaines des occasions les plus intéressantes. Je suis totalement extravertie. Je suis encline à bavarder avec des inconnus et je pense que c'est cela qui m'a amenée à me faire beaucoup d'amis et à avoir des amants. Plutôt que de m'ennuyer, je cherche des gens qui m'apporteront quelque chose. Si j'en crois mes amis, j'attire les gens parce que je m'intéresse à eux. Je ne me contente pas de leur parler ; je les écoute. C'est une question de partage. Leur vie m'intéresse. Et je fais beaucoup d'efforts pour nouer des relations. Lorsque j'étais étudiante, je pratiquais des activités extra-universitaires comme le volley-ball. Je pense également qu'il est important, lorsqu'on sort avec un homme, de ne pas perdre le contact avec ses amis. Nous avons tous connu des amis qui, après avoir rencontré celui ou celle qu'ils estiment être le ou la partenaire « idéal/e », disparaissent de la circulation. On n'entend plus parler d'eux pendant cinq ou six mois... jusqu'à ce qu'ils rompent ! Je ne me conduis pas comme ça. En toutes circonstances, je fais l'effort de garder le contact avec ceux que je considère comme mes amis.

« Je donne également beaucoup de réceptions. En général, mes invités sont contents. C'est vrai, on s'y amuse bien, mais je me donne du mal pour les réussir. J'organise par exemple des soirées à thème. Elles procurent un moyen formidable de briser la glace. Même s'il ne s'agit que de la première demi-heure, pendant laquelle tout le monde essaie de deviner comment les autres se sont déguisés. « Déguisez-vous en votre blessure préférée » est un thème que j'ai utilisé récemment. Une autre fois, j'ai demandé à mes amis de venir déguisés en leur plat préféré...

« J'ai tendance à inviter des personnes de tous horizons. Les réceptions où l'on retrouve toujours les mêmes têtes deviennent vite ennuyeuses. C'est un moyen formidable de présenter les gens les uns aux autres et d'élargir le cercle. Je donne ces réceptions tous les deux mois. Elles font vraiment fructifier ma chance. Je fais allusion aux petits coups de pouce que j'obtiens pour mes investissements financiers, pour ma carrière et le reste... En fait, il s'agit de partager connaissances et expérience.

« C'est une question de probabilités. Quand on rencontre vingt personnes par semaine, il risque d'y en avoir une intéressante sur le nombre. Le jeu consiste donc en partie à augmenter ses chances, à vivre des événements, des rencontres agréables, en se montrant. Franchement, je vois mal comment on peut être chanceux si on reste replié sur soi. »

SOUS-PRINCIPE 2 : LES CHANCEUX ONT UNE ATTITUDE DÉTENDUE À L'ÉGARD DE LA VIE

Sans en avoir conscience, les chanceux utilisent également un autre ensemble de techniques. Ces techniques consistent moins à créer des occasions favorables qu'à augmenter leur faculté de les remarquer et d'en tirer profit. Un simple tour de cartes illustrera cette idée simple. Imaginons que j'invite quelques personnes à dîner. Je place cinq cartes à jouer à l'envers sur la table. Je demande à l'un des invités de regarder les cartes, d'en choisir une et de se la rappeler.

Je le prie ensuite de sortir quelques minutes. Je ramasse les cartes, je les étudie et je décide laquelle il a sans doute choisie. Je la mets dans ma poche et je replace les quatre autres sur la table. Je le fais rentrer dans la pièce, je lui demande de regarder les cartes et de me dire si la sienne manque. J'ai accompli ce tour de nombreuses fois et je ne me suis jamais trompé.

Et si nous procédions à présent à ce tour de cartes ? Dans un livre, la tâche n'est pas aisée, mais nous allons quand même essayer. J'ai reproduit cinq cartes ci-contre. Regardez-les, choisissez-en une et revenez ici.

Votre choix est fait ? Bien. À présent, imaginez que vous êtes sorti de la pièce et que j'ai mis votre carte dans ma poche. Je vous invite à revenir et je vous montre les quatre cartes sur la table. Je parie que la vôtre n'en fait pas partie. Les quatre cartes se trouvent dans l'annexe A. Allez voir si la vôtre y est.

Comment m'en suis-je sorti ? Votre carte y était ? Je vous dois une explication. Comme vous l'avez sans doute déjà deviné, ce résultat n'a rien à voir avec mes extraordinaires pouvoirs magiques. En revanche, il a tout à voir avec la psychologie.

Ce tour fonctionne à partir d'un principe psychologique d'une simplicité biblique, à savoir que nous avons

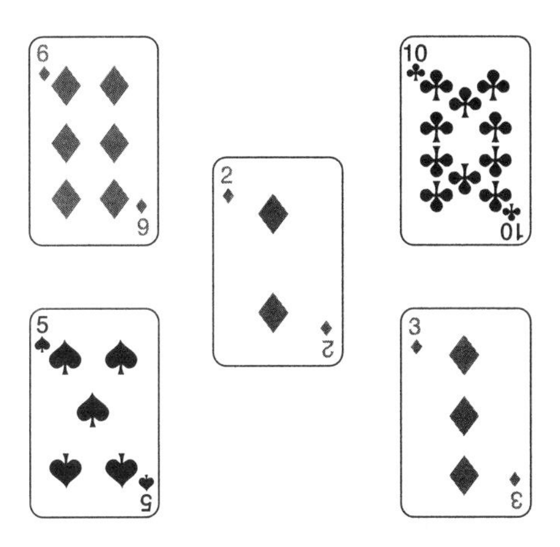

tendance à ne remarquer que les choses qui nous importent. Si vous n'en avez pas déjà découvert le secret, allez regarder une seconde fois les cartes ci-dessus. Au lieu de n'en choisir qu'une, notez-les toutes. À présent retournez à l'annexe A pour regarder les cartes. Comme vous le remarquerez, elles sont toutes différentes.

La carte que vous avez choisie parmi celles ci-dessus, quelle qu'elle soit, ne figurera jamais parmi celles de l'annexe A. Je vous ai demandé de vous concentrer sur une seule carte et de ne vous souvenir que d'elle. Du coup, cette carte a pris de l'importance à vos yeux aux dépens des quatre autres. La plupart des personnes qui regardent les cartes de l'annexe remarquent que la leur n'en fait pas partie mais ne voient pas que les autres ne sont plus les mêmes. Nous avons là une démonstration frappante de la manière dont nous nous focalisons sur ce qui nous importe et ignorons souvent le reste de notre environnement.

Cette idée, bien que primaire, a des conséquences de taille. Très souvent nous ignorons les bonnes occasions qui se présentent à nous pour la bonne raison que nous regardons ailleurs.

J'ai effectué une expérience simple sur ce phénomène. J'ai remis un journal à des sujets et je leur ai demandé de me dire combien de photographies y étaient reproduites. Une question en apparence sans entourloupette. Ils ont tous trouvé la tâche très facile et n'ont pas mis pour la plupart plus de deux minutes pour compter les photos. Quelques-uns ont pris un peu plus de temps parce qu'ils ont feuilleté le journal à deux reprises afin de vérifier le résultat.

En fait, ils auraient tous pu me répondre en quelques secondes, sans même compter les photographies. Pourquoi? Parce qu'en page 2, un message leur disait: ARRÊTEZ DE COMPTER. IL Y A 43 PHOTOGRAPHIES DANS CE JOURNAL. Et il ne s'agissait pas d'un petit message coincé dans un angle. Il prenait une demi-page et était imprimé en caractères de plus de trois centimètres! Un message énorme, qui les regardait droit dans les yeux. Mais personne ne l'a remarqué, parce que tout le monde cherchait autre chose.

Ils sont aussi passés à côté de quelque chose de plus important, à savoir l'occasion de gagner cent livres. Au milieu du journal, j'avais placé un deuxième message. En caractères énormes lui aussi. Sur une demi-page, il disait: ARRÊTEZ DE COMPTER, DITES À LA PERSONNE QUI VOUS FAIT PASSER CE TEST QUE VOUS AVEZ VU CE MESSAGE ET GAGNEZ CENT LIVRES. Là encore, personne n'a rien vu. Ils étaient bien trop occupés à comptabiliser les photographies. Leur attitude, à la fin de l'expérience, ne manquait pas de sel. Je leur ai demandé s'ils avaient remarqué quelque chose d'anormal. Tous m'ont répondu par la négative. Je leur ai suggéré de feuilleter rapidement le journal une seconde fois. Quelques secondes leur ont suffi pour voir le premier message. Beaucoup ont éclaté de rire et se sont dit surpris de ne pas l'avoir remarqué la première fois. Lorsqu'ils ont pris connaissance du second message, leur stupéfaction a augmenté et ils m'en ont fait part en termes beaucoup plus colorés.

L'essentiel, c'est que tous les participants à cette expérience sont passés à côté d'occasions qui leur crevaient les yeux parce qu'ils ne les cherchaient pas.

La question importante consiste à savoir quelles sont les personnes qui remarquent ce genre d'occasions. Qui repère que toutes les cartes ont changé dans le tour de passe-passe ? Qui voit l'offre de gagner cent livres dans le journal ? La réponse se trouve dans la seconde différence de personnalité capitale entre les chanceux et les malchanceux : la tendance à la névrose. Les individus obtenant un score bas dans cette dimension sont en général calmes et détendus, les autres étant beaucoup plus stressés et anxieux.

Comme le montre le graphique ci-dessous, les chanceux ont un score « Tendance à la névrose » beaucoup plus bas que les malchanceux. Et vice versa. Cet aspect des choses peut être à l'origine d'une perception très différente des occasions qui se présentent à eux.

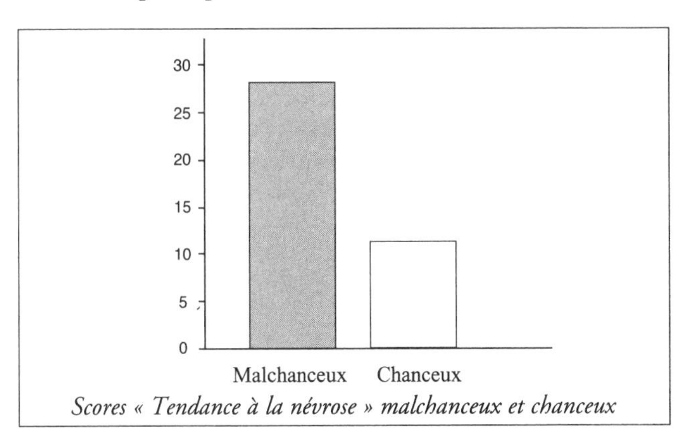

Scores « Tendance à la névrose » malchanceux et chanceux

Les psychologues ont effectué de nombreux tests à propos des effets de l'anxiété sur notre faculté de remarquer quelque chose que nous ne cherchons pas. Lors d'une expérience très connue, on a demandé à des sujets de suivre un point en mouvement au centre d'un écran d'ordinateur. Sans les prévenir, les expérimentateurs faisaient de temps en temps flasher de gros points sur les bords de l'écran. Dans des circonstances normales, presque toutes les personnes ont remarqué ces gros points. Mais les psychologues ont effectué cette même expérience avec un autre groupe, en offrant cette fois une récompense financière importante à ceux qui suivraient avec précision le point du milieu. Dans ces conditions, les sujets étaient beaucoup moins détendus. Ils se sont focalisés sur le point central, si bien que plus d'un tiers d'entre eux n'a pas vu les gros points qui apparaissaient à la périphérie de l'écran. Plus ils étaient concentrés, moins ils les avaient vus.

De la même façon, les chanceux ont tendance à être plus détendus que la moyenne d'entre nous, et donc plus aptes à remarquer les bonnes occasions, même quand ils ne les attendent pas. Ce sont eux qui remarqueront les annonces dans le test du journal et les gros points sur les bords de l'écran. Cette faculté de ne pas laisser échapper de telles occasions exerce un effet positif et significatif sur leur vie.

Pour illustrer ce point, examinons la manière dont ce facteur peut influencer un aspect très simple de la chance, à savoir le fait de trouver de l'argent dans la rue. Richard, un chanceux de soixante-sept ans, trouve souvent des pièces, voire des billets, sur le trottoir. Il y a huit ans, il a décidé de conserver cet argent dans une tirelire baptisée « argent trouvé ». Il la range dans sa cuisine et il est stupéfait par la vitesse à laquelle elle se remplit. Richard m'a fait part d'un phénomène bizarre qu'il avait remarqué: la quantité d'argent qu'il trouvait semblait avoir un lien direct avec la dose de bien-être qu'il ressentait. Il le savait parce qu'à une certaine époque, il s'était amusé à noter le rapport entre cet argent « trouvé » et son état d'esprit du moment, heureux et détendu ou triste et anxieux.

> « Quand j'étais un peu déprimé et que je me disais "Qu'on ne vienne pas m'embêter aujourd'hui", j'avais tendance à ne rien trouver. Si je me promenais tranquillement et joyeusement, j'avais bien davantage de chances de tomber sur des sous, car mes sens avaient l'air beaucoup plus affûtés. C'est bizarre. Je ne fais pas exprès de chercher de l'argent. Mais apparemment, j'en trouve plus facilement quand je ne pense à rien en particulier. »

Ce regard décontracté que posent les chanceux sur le monde leur permet de remarquer les bonnes occasions. Ce n'est pas qu'ils les guettent, mais ils les voient quand ils passent à côté. Les malchanceux sont à l'inverse en général beaucoup plus tendus. Ils sont tellement occupés à compter les photographies dans le journal que le message qui leur offre cent livres sans rien faire ne leur saute pas aux yeux. Dans la vie, ils se concentreront sur le fait d'arriver à l'heure à un rendez-vous, de trouver un nouveau job ou de résoudre un problème domestique. Quoi qu'il en soit, ils ont un rayon d'attention très étroit, très focalisé, qui les empêche de discerner les occasions favorables qui s'offrent à eux tous les jours.

Les chanceux déclarent souvent qu'ils sont tombés sur des occasions qui allaient changer leur vie dans des journaux, des magazines, sur des panneaux de publicité ou sur Internet. Dans le chapitre 2, j'ai décrit la vie de Lynne qui a complètement changé le jour où elle a lu un article sur les concours. Cela l'a incitée à tenter sa chance. Le succès qui a couronné ses premiers essais a donné un coup de fouet à son intérêt qui l'a amenée par la suite à gagner de très importants concours et à satisfaire son ambition d'enfance de devenir écrivain. Beaucoup d'autres chanceux m'ont fait part d'expériences similaires. Diana, par exemple, trente-neuf ans, chargée de projets en matière d'éducation à l'université de Cambridge. Elle m'a raconté comment un épisode très important de sa vie a découlé de la lecture d'un article :

> « Un article sur les problèmes concernant l'éducation préscolaire en Grande-Bretagne a eu un impact majeur sur ma vie. J'ai écrit à l'auteur pour lui exprimer mon accord. Il m'a invitée à le rencontrer. J'y suis allée et il s'est avéré qu'il était en relation avec un comité consultatif gouvernemental sur l'éducation, et du jour au lendemain, je me suis retrouvée chargée du programme gouvernemental pour l'éducation préscolaire. »

D'autres chanceux m'ont raconté comment ils avaient saisi des occasions par le biais de la télévision ou de la radio. Elizabeth, professeur de yoga de soixante-deux ans, attribue une grande partie de sa chance à sa « radio magique » qui ne cesse de lui en offrir de merveilleuses :

> « J'allume ma "radio magique" et bien plus souvent que par simple coïncidence, on y diffuse un renseignement dont j'ai besoin. À l'époque où j'étais en cours de divorce, mon avocat m'a dit que je devais faire appel à un détective privé. Je ne pouvais pas m'en payer un, mais la radio a diffusé une interview du président d'une association de détectives privés. Je l'ai appelé pour lui demander conseil. Il m'a recommandé un policier à la retraite qui vivait non loin de chez moi. Je me suis mise en rapport avec lui et je l'ai engagé... C'était vraiment un excellent détective. Une autre fois, je voulais élargir mon point de vue sur la vie. J'ai ouvert la radio et entendu une dame parler d'un cours fascinant qu'elle suivait. J'ai appelé la station de radio, obtenu davantage de renseignements et quelques semaines plus tard, je suivais un cours de sociologie d'une semaine dans un château du Yorkshire ! Grâce à ma radio magique, ce genre de choses m'arrive

souvent. Quand je me suis cassé la jambe, je suis tombée sur une émission à propos des traitements neuromusculaires de l'hôpital homéopathique de mon quartier. J'ai entendu ce programme deux heures avant un rendez-vous avec mon médecin et je l'ai persuadé de m'envoyer là-bas. »

Leur attitude détendue ne se contente pas d'aider les chanceux à trouver de l'argent dans la rue et à repérer des articles ou des programmes intéressants dans les médias. Elle exerce également un impact sur leurs rencontres et leurs conversations avec des inconnus. Lorsqu'ils se rendent à une réception ou dans une réunion, ils n'essaient pas de se convaincre qu'ils vont y rencontrer l'homme ou la femme de leur vie ou quelqu'un qui leur offrira le travail de leurs rêves. C'est leur décontraction qui les rend plus ouverts aux occasions. Ils écoutent pour de bon. Ils notent ce qu'ils ont sous les yeux, au lieu d'essayer de voir ce qu'ils aimeraient voir. Du coup, ils sont beaucoup plus réceptifs à tout ce qui se présente à eux de manière inattendue.

John, un comptable américain chanceux, m'a raconté comment il avait saisi plusieurs bonnes occasions grâce à sa décontraction :

« Je pense que l'une des raisons de ma chance réside dans le regard ouvert et détendu que je porte sur mon environnement. Je ne fais pas de fixation sur des choses précises. Il y a quelque temps, je voulais me procurer une voiture vraiment fiable, un modèle récent avec un kilométrage très bas. Imaginons que j'aie décidé que je voulais “une Mercedes d'occasion, avec X kilomètres et ainsi de suite”. Je ne l'aurais probablement pas trouvée. Mais j'ai simplement pris la chose de manière beaucoup plus décontractée. Je savais en gros ce dont j'avais besoin, si bien que j'ai tout de suite repéré l'occasion quand elle s'est présentée. J'ai

EXERCICE 5 : À CÔTÉ DE QUELLES BONNES OCCASIONS ÊTES-VOUS PASSÉE ?

Repensez à une situation récente au cours de laquelle vous n'avez pas saisi une occasion de bavarder avec quelqu'un que vous connaissiez mal et que vous auriez aimé connaître mieux. Il s'agit peut-être d'une personne que vous avez vue à une réception, que vous avez trouvée particulièrement sympathique ou amicale, mais auprès de laquelle, par timidité, vous n'avez pas osé faire le premier pas. Ou alors vous avez assisté à une conférence fascinante mais l'occasion de bavarder avec le conférencier ne s'est pas présentée. Peut-être que lors d'une soirée professionnelle, vous avez vu quelqu'un dont vous aviez entendu dire grand bien mais que la personne en question est partie avant que vous ayez pu vous présenter à elle. Ou bien votre regard a été attiré par quelqu'un dans une boutique, mais le lieu et le moment ne vous ont pas semblé appropriés pour entamer une conversation. Un ami ou un collègue vous ont peut-être présenté/e à une de leurs connaissances, mais vous étiez pressé/e et vous n'avez pas eu le temps d'établir un véritable contact avec cette personne.

Fermez les yeux un certain temps et repassez cet événement mentalement. Les vêtements que portait la personne en question, son comportement et la raison pour laquelle vous avez raté cette occasion de la connaître. Notez brièvement ces détails dans votre Journal de Chance.

À présent, vous allez remonter l'horloge en arrière et imaginer que les choses se sont passées de manière entièrement différente. Dans ce monde-là, vous avez vraiment rencontré cette personne et bavardé avec elle. Peut-être avez-vous eu le courage de lui dire bonsoir à la réception. Ou alors, vous vous êtes cogné/e au conférencier dans l'escalier après sa conférence passionnante. Dans la boutique, l'inconnu et vous avez tendu la main en même temps vers le même article et entamé une conversation. Vous avez réussi à vous présenter à la personne avant qu'elle quitte la réception. Vous n'étiez pas si pressé/e que cela quand votre ami vous a présenté/e, si bien que vous avez eu le temps d'aller prendre un café tous les trois. Dans votre Journal de Chance, notez brièvement les circonstances de votre rencontre.

Imaginez ensuite que cette personne, vous l'avez trouvée sympathique et facile d'accès. Imaginez même que cette rencontre s'est si bien passée qu'elle a eu un impact extraordinairement positif sur votre vie. L'inconnu/e de la réception s'est peut-être révélé/e le/la compagnon/compagne idéal/e, dont vous êtes tombé/e profondément amoureux/se. La rencontre dans l'escalier a peut-être débouché sur une formidable ouverture professionnelle. La personne de la boutique est peut-être devenue l'un/e de vos plus proches amis/es. La conversation, lors de la soirée professionnelle, vous a permis de conclure un accord financier juteux. Sans brider votre imagination, réfléchissez à la manière dont cette rencontre de hasard a changé votre vie. À présent, décrivez brièvement ces transformations dans votre Journal de Chance.

Cet exercice est destiné à démontrer le pouvoir des occasions fortuites, la manière dont le plus infime des événements, la plus petite décision, peuvent exercer une influence énorme sur votre vie. Évidemment, vous ne pouvez pas, dans la vie réelle, remonter le temps et modifier le passé. Vous n'avez aucun moyen de savoir ce qui se serait vraiment produit si vous aviez rencontré pour de bon cette personne. Cependant, vous pouvez changer votre avenir. Il existe plusieurs techniques qui multiplieront vos probabilités de faire des rencontres fortuites telles que celles que vous venez de décrire dans votre Journal de Chance. Pour les incorporer dans votre vie, le premier pas consiste à comprendre à fond les théories, simples mais très efficaces, qui sont à leur base.

> trouvé une voiture formidable en parcourant les annonces. Ce n'est pas une Mercedes, mais elle me convient parfaitement. De la même manière, j'ai voulu louer une maison quand j'ai déménagé à Las Vegas en février dernier. Il m'a suffi d'en voir deux pour trouver la maison idéale. C'est fantastique. Si j'avais dressé une longue liste de critères précis, je n'aurais jamais trouvé ce qui y correspondait. Comme j'étais relax, j'ai repéré sur-le-champ la maison qu'il me fallait. J'en conclus que si je me bloque sur quelque chose de spécifique, la chance me sourit moins. Dans le cas inverse, tout tourne toujours en ma faveur. »

En résumé, les chanceux ont le don de repérer les bonnes occasions. Ils ne les recherchent pas activement, mais leur attitude décontractée leur permet de remarquer ce qui se passe autour d'eux. L'ironie veut qu'en ne s'y attelant pas avec intensité, ils voient bien davantage de choses.

Sous-principe 3 : Les chanceux sont ouverts à de nouvelles expériences

Pour finir, il y a un troisième et dernier ensemble de techniques que les chanceux utilisent inconsciemment pour bénéficier des bonnes occasions. Elles se regroupent autour d'une composante importante de leur personnalité, qualifiée le plus souvent d'Ouverture d'esprit. Les individus obtenant un score élevé dans cette dimension apprécient beaucoup la variété et la nouveauté dans leur vie. Ils aiment tenter des expériences, et ne pas toujours faire les choses de la même façon. Ils ne se laissent pas enfermer dans des conventions et sont séduits par l'imprévisible. Ceux qui obtiennent un score faible sont en général beaucoup plus conventionnels. Ils s'en tiennent plutôt à une façon unique de faire les choses et préfèrent qu'aujourd'hui ressemble à hier et à demain. Ils n'apprécient pas beaucoup les surprises.

Comme le montre le graphique ci-dessous, les chanceux obtiennent des scores beaucoup plus élevés que les malchanceux dans la catégorie Ouverture d'esprit. Cela leur permet de ne pas laisser passer les occasions fortuites.

Les chanceux que j'ai interrogés manifestaient cette soif de nouveauté de façon criante. En début de chapitre, nous avons rencontré Robert, notre ingénieur en aéronautique qui profite toujours des rencontres fortuites. Robert a insisté sur son goût pour la variété :

> « Je déteste la routine. Depuis toujours. C'est la beauté du métier d'ingénieur de sécurité en aéronautique, on ne sait jamais ce qui arrivera le lendemain. Ce métier m'a fait voyager partout et rencontrer toutes sortes de gens. Dans le domaine des vacances aussi, nous ne réservons jamais rien, nous prenons l'avion quand l'envie nous en prend et nous descendons dans un hôtel que nous choisissons une fois arrivés sur notre lieu de destination. »

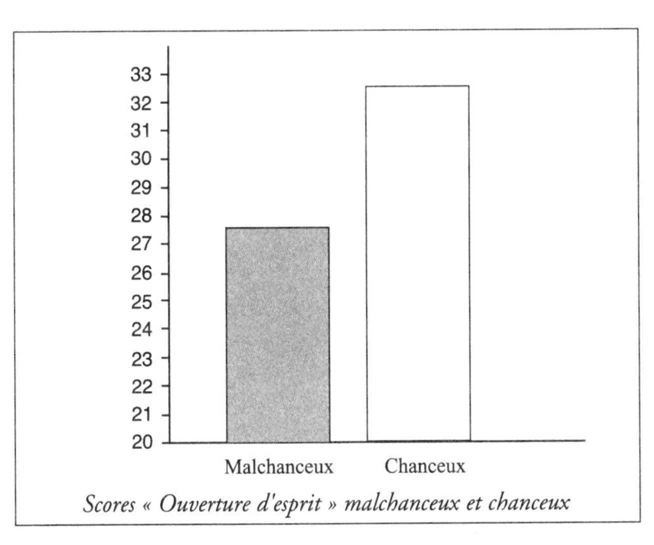

Scores « Ouverture d'esprit » malchanceux et chanceux

Eugénie est une femme au foyer de trente-deux ans. Sa vie est entièrement motivée par le besoin de vivre de nouvelles expériences. Elle a exercé toutes sortes de métiers et ne part jamais en vacances deux fois au même endroit. Elle est membre de son club local d'artisanat. Alors que la plupart des autres membres s'en tiennent à la même activité, Eugénie a tout essayé, de la céramique à la couture en passant par la peinture chinoise et la fabrication de rideaux. Elle essaie constamment de nouveaux produits et sa maison déborde de marques différentes de céréales, de poudre à laver, de déodorant et de dentifrice. Elle m'a raconté comment ce principe influe même sur ses visites hebdomadaires au supermarché :

> « Si vous me disiez de me rendre dans la même grande surface toutes les semaines et de m'en tenir à une liste identique de trente produits, ça me rendrait folle. Toutes les semaines, je change de supermarché. J'ai toute une série de cartes de fidélité, mais je ne suis fidèle à aucun d'entre eux. »

Nombre de mes sujets chanceux se décarcassaient pour introduire de la variété et des changements dans leur existence. L'un d'eux ne se fiait qu'aux dés. Avant de prendre une décision importante, il dressait une liste des options possibles et lançait ensuite les dés afin d'en choisir une. Un autre m'a décrit une technique qu'il avait élaborée afin de s'obliger à rencontrer toutes sortes de gens différents. Pour ne pas tomber dans la routine et mettre du piment dans sa vie, il choisissait une couleur avant d'arriver à une réception et il s'efforçait ensuite de ne parler qu'aux personnes vêtues de cette couleur au cours de la soirée ! C'est ainsi qu'il ne bavardait un soir qu'avec des femmes en rouge, et le lendemain qu'avec des hommes en noir.

Si ce genre de comportement peut paraître étrange dans certaines circonstances, il multiplie néanmoins vraiment le nombre des occasions fortuites. Imaginez que vous vivez dans une maison entourée d'un vaste verger de pommiers. Chaque jour, vous allez y cueillir un grand panier de pommes. Les premiers jours, vous procédez au hasard, car tous les arbres ploient sous les fruits. Petit à petit, vous avez davantage de difficultés à cueillir des pommes sur les arbres que vous avez choisis en premier. Et plus vous opterez pour ces mêmes arbres, plus ils seront dégarnis. Mais si vous décidez d'aller explorer chaque fois un coin nouveau du verger ou de ne vous fier qu'au hasard, vous aurez d'autant plus de chances de réaliser une bonne cueillette.

Il en va exactement de même avec la chance. Il n'est pas difficile d'épuiser les occasions que la vie nous réserve. Il suffit pour cela de parler aux mêmes personnes sur le même ton. D'emprunter le même itinéraire pour se rendre à son travail et en revenir. De partir toujours au même endroit en vacances. En revanche, les expériences nouvelles, voire dues au hasard, ouvrent de nouveaux horizons et augmentent le potentiel d'occasions fortuites. Comme si vous visitiez un autre coin du verger. Subitement, vous êtes environné de centaines de pommes.

Occasions identiques, vies différentes

Au cours de mes recherches, je me suis entretenu avec des centaines de chanceux et de malchanceux. Cependant, j'ai eu deux conversations qui sortaient vraiment de l'ordinaire. La première avec Karen, malchanceuse, et la seconde avec Roy, chanceux. Karen est sujette aux accidents. Il y a quelques années elle trébucha sur son chien et tomba sur un angle de canapé. Le lendemain, elle ressentit une douleur au côté. Comme cette douleur empirait, elle se mit à éprouver de véritables difficultés à respirer. Une visite à son médecin révéla qu'en heurtant simplement ce canapé moelleux, elle s'était enfoncé un poumon. Ce genre de poisse n'a rien d'exceptionnel dans sa vie. Elle se cassa un poignet en se cognant contre une porte. Quelques minutes après être sortie du cabinet médical où on venait de lui enlever son plâtre, elle tomba et se cassa l'autre poignet. Elle se considère comme très malchanceuse et, selon ses propres termes, un « désastre ambulant ». Roy ne lui ressemble en rien. Il y a quelques années, il joua au loto. Le soir, il écouta de son bain le résultat du tirage à la télévision. En entendant ses trois premiers numéros sortir, il bondit hors de la baignoire pour se précipiter dans le salon. Il n'en crut pas ses oreilles quand ses quatrième, cinquième et sixième numéros sortirent également. Roy empocha le jackpot de plus de sept millions de livres. On ne s'étonnera pas qu'il se considère comme particulièrement chanceux.

Au début de notre entretien, j'ai demandé à Karen et Roy de me faire part d'événements chanceux ou malchanceux qui leur étaient récemment arrivés. Question que j'ai posée à tous mes sujets au fil des ans. Mais en l'occurrence, la situation était différente : je connaissais déjà leurs réponses. En fait, j'en savais davantage sur ces événements récents que Karen et Roy. À leur insu, ils avaient participé à une expérience destinée à étudier la relation entre la chance et les bonnes occasions.

Contrairement à la plus grande partie de mon travail, cette expérience n'avait pas été effectuée dans un laboratoire universitaire mais dans le cadre de la vie au quotidien de Karen et de Roy. En outre, nous avions réussi à les filmer à leur insu. Ce film et les commentaires de Karen et de Roy au moment de notre entretien jettent un éclairage intéressant sur les raisons pour lesquelles les chanceux saisissent bien plus souvent ce genre d'occasions que les malchanceux.

Quelques semaines auparavant, j'avais rencontré une productrice de télévision de la BBC qui préparait une émission consacrée au travail que j'effectuais sur la chance.

Elle m'avait appris que des chanceux et des malchanceux — dont Karen et Roy — s'étaient portés volontaires pour participer à ce programme et à des expériences. Je désirais illustrer la manière dont les chanceux saisissent les occasions et les transforment en leur faveur en présentant exactement les mêmes à Karen et Roy et en examinant leurs réactions. Mais je ne voulais pas procéder à cette expérience en laboratoire. Je tenais à la mener dans leur cadre de vie.

En matière de psychologie, la plupart des expériences s'effectuent en laboratoire. Bien qu'il soit évidemment plus aisé de tester les gens dans un environnement fixe, ils savent qu'ils sont observés, de telle sorte que le comportement même qui est étudié risque d'en être affecté. Il y a quelques années, une de mes collègues voulut analyser les réactions de personnes voyageant à bord d'un avion à bord duquel se serait déclaré un incendie. Elle fit construire une maquette de cabine d'avion dans son laboratoire, y fit asseoir ses sujets, simula un incendie à l'aide de bombes lacrymogènes et les observa se diriger tous tranquillement vers les issues de l'appareil. Mais son expérience fut loin de la convaincre. Tout s'était passé un peu trop calmement. Elle se demanda si le fait que ses sujets savaient qu'ils étaient dans un laboratoire, et non dans un vrai avion, n'avait pas affecté leur comportement. Elle réitéra donc l'expérience. Mais cette fois, elle la rendit plus véridique en proposant une récompense financière aux premières personnes qui quitteraient le simulateur, pour augmenter leur motivation. Le résultat? Une vraie débâcle. Les gens se pressèrent, donnèrent des coups de pied et en vinrent aux mains. La plupart paniquèrent et un tout petit nombre seulement réussit à s'échapper du simulateur dans le laps de temps accordé. Comme je craignais aussi qu'une expérience de laboratoire affecte le comportement de Karen et de Roy, j'ai donc conçu une expérience simple, mais réaliste.

Exercice 6 : Votre profil chance : Principe 1

Revenons à vos scores du Questionnaire profil en page 18. Les trois premiers critères de ce questionnaire se rapportent aux sous-principes abordés dans ce chapitre. Le critère 1 mesure simplement votre extraversion, le critère 2 concerne votre degré de tendance à la névrose et le critère 3 votre degré d'ouverture d'esprit à de nouvelles expériences.

Scores

Regardez les notes que vous avez accordées à ces trois critères et additionnez-les pour en obtenir le total (voir ci-dessous). Il s'agit de votre score au premier principe de la chance.

	Données	*Note* (1-5)
1	Il m'arrive de bavarder avec des étrangers quand je fais la queue au supermarché ou dans une banque.	5
2	Je ne suis pas du genre à me faire du souci et à m'inquiéter à propos de ma vie.	4
3	Je suis ouvert aux nouvelles expériences telles que goûter à de nouvelles cuisines ou boissons.	3

Total pour le premier principe de la chance **12**

Regardez à présent l'échelle ci-contre, afin de découvrir si votre score entre dans la catégorie élevée, moyenne ou basse. Notez ce score et sa catégorie dans votre Journal de Chance, car ils prendront de l'importance lorsque nous aborderons les manières de faire fructifier votre chance.

Scores bas	Scores moyens	Scores élevés
3 4 5 6 7 8	9 10 11	12 13 14 15
12 = élevé		X

J'ai fait remplir ce questionnaire à un grand nombre de sujets chanceux, malchanceux et neutres. Les chanceux ont tendance à obtenir des scores beaucoup plus élevés que la moyenne sur ces trois critères. Les malchanceux ont tendance à obtenir les scores les plus bas (voir graphique ci-dessous).

Il m'arrive de bavarder avec des étrangers quand je fais la queue au supermarché ou à la banque

Je ne suis pas du genre à me faire du souci et à m'inquiéter à propos de ma vie.

Je suis ouvert au nouvelles expériences comme goûter à de nouvelles cuisines et boissons.

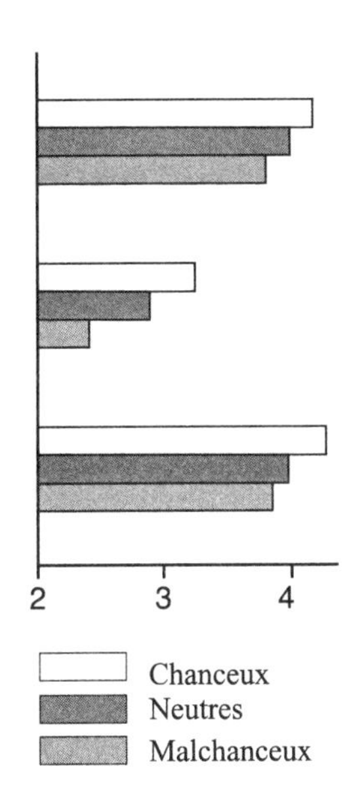

Scores moyens des malchanceux, neutres et chanceux au Questionnaire profil

Simple, oui, mais dont la préparation a nécessité beaucoup de temps, une provision de billets de cinq livres, quatre comparses et une série de caméras cachées. Cette expérience a eu lieu dans un café proche de mon université. La BBC a installé plusieurs caméras dans la rue menant au café et dans l'établissement lui-même. Nous avons demandé à Roy et à Karen de se rendre dans ce café à des heures différentes et d'attendre l'arrivée d'une personne qui s'occupait de ce programme sur la chance. Ils ignoraient totalement que le moindre de leurs gestes était filmé.

Nous avions imaginé à leur attention deux occasions dont ils étaient susceptibles de tirer profit. Nous avions placé un billet de cinq livres sur la chaussée, juste devant l'entrée du café. Roy et Karen seraient obligés de passer à côté pour pénétrer dans l'établissement, mais le remarqueraient-ils ? Nous avions également modifié l'installation du café, de manière à ce qu'il ne contienne que quatre tables, auxquelles nous avions placé nos quatre comparses. L'un d'eux était un homme d'affaires florissant, les autres non. Ces quatre personnes avaient reçu pour consigne d'observer une attitude absolument identique à l'égard de Roy et de Karen. Comment allaient-ils réagir ?

Nous avons fait tourner les caméras dans l'attente de l'arrivée de nos cobayes. Roy est arrivé le premier. Il a remarqué tout de suite le billet de cinq livres, l'a ramassé et est entré dans l'établissement. Une fois dedans, il a commandé un café et s'est assis à côté de l'homme d'affaires. Quelques minutes lui ont suffi pour se présenter à lui et lui offrir un café. L'homme a accepté et au bout d'un moment, ils sont partis ensemble en bavardant.

Après le départ de Roy, nous avons replacé un billet de cinq livres sur le sol à l'intention de Karen.

Les choses ont alors un peu tourné de travers. Au lieu de Karen, c'est une femme poussant un landau qui a remonté la rue. Elle a remarqué le billet, l'a ramassé et a poursuivi son chemin. Je la soupçonne d'appartenir à la catégorie des chanceux de nature, mais nous n'en aurons jamais la certitude! Nous avons donc dû placer un autre billet de cinq livres par terre. Puis nous avons attendu. Quelques minutes plus tard, Karen est apparue. Elle a marché pile sur le billet et est entrée dans le café. Elle est allée au comptoir, a commandé un café et s'est assise à côté de l'homme d'affaires. Contrairement à Roy, elle n'a pas bronché et est restée assise là sans adresser la parole à quiconque.

L'après-midi, je leur ai posé des questions sur les occasions, positives et négatives, qui s'étaient présentées à eux ce jour-là. Karen m'a regardé d'un air inexpressif et m'a répondu qu'il ne s'était rien passé d'inhabituel. Roy m'a fait une description colorée de la manière dont il avait trouvé un billet de cinq livres dans la rue et bavardé de façon fort sympathique avec un homme d'affaires dans un café.

Occasions identiques. Vies différentes.

Résumé du chapitre

Les chanceux sont plus susceptibles que les malchanceux de créer et remarquer les occasions fortuites et d'en tirer profit. Ils s'y prennent de différentes façons. Ils entament plus souvent des conversations, car ils sont extravertis. Davantage de personnes s'adressent à eux, en raison de leur « magnétisme social ». Ils sont doués pour garder le contact. Les chanceux sont plus détendus que les malchanceux, ce qui les rend plus aptes à remarquer les occasions offertes par le hasard dans tous les domaines de leur vie. Enfin, les chanceux sont plus ouverts à la variété et aux expériences nouvelles, attitude qui multiplie pour eux les probabilités de saisir des occasions et d'en tirer le maximum.

PREMIER PRINCIPE : TIRER LE MAXIMUM DES OCCASIONS FORTUITES

Les chanceux créent et remarquent les occasions fortuites et en tirent profit.

Sous-principes :

1 : Les chanceux bâtissent et gardent un solide « réseau de chance ».

2 : Les chanceux ont une attitude détendue à l'égard de la vie.

3 : Les chanceux sont ouverts aux expériences nouvelles.

4
Deuxième principe
ÉCOUTER SON INTUITION

PRINCIPE : LES CHANCEUX PRENNENT DES DÉCISIONS POSITIVES EN ÉCOUTANT LEUR INTUITION ET LEUR INSTINCT

Marilyn, représentante irlandaise de vingt-six ans, est tout à fait représentative des sujets malchanceux qui ont participé à mes recherches. Sa malchance se manifeste dans différents domaines de sa vie. Elle échoua à cinq reprises à l'examen de son permis de conduire et est prédisposée aux accidents. Elle rate son bus à la minute près, ne trouve jamais de taxi quand elle en a besoin et prend toujours des vols qui ont du retard. Mais la plus grande partie de sa malchance se concentre sur sa vie sentimentale. Marilyn rencontra son premier petit ami, Scott, alors qu'elle travaillait comme serveuse dans un bar en Espagne. Il avait dix-neuf ans et venait d'arriver de Grande-Bretagne pour deux semaines de vacances. Le premier soir, il entra dans le bar où travaillait Marilyn et ils engagèrent une conversation. Ils sympathisèrent et se virent beaucoup au cours de ces deux semaines. À la fin de ses vacances, Scott avoua à Marilyn qu'il était amoureux d'elle et qu'il avait envie de s'installer en Espagne pour être près d'elle. Quelques semaines plus tard, c'était chose faite. Il emménagea chez elle.

Marilyn croyait avoir trouvé le compagnon idéal. Une histoire d'amour digne d'un conte de fées qui, au début, se déroula sans un nuage. Mais au bout de quelques mois, leur aventure tourna au vinaigre. Scott devint odieux avec elle. Il se montrait égoïste, insultant et arrogant. Croyant que ses problèmes venaient du fait qu'il vivait loin de chez lui, Marilyn lui suggéra de regagner ensemble la Grande-Bretagne. Quelques mois plus tard, ils rentrèrent à Londres. Marilyn espérait qu'ils allaient se rabibocher. Il n'en fut rien. Leur relation alla de mal en pis. Scott continua à la traiter très mal et les choses se dégradèrent encore. Marilyn finit par rompre quand elle s'aperçut que Scott la trompait.

Peu de temps après, Marilyn rencontra John. Leur histoire débuta sous de bons auspices et ils emménagèrent ensemble. Là encore, tout tourna très mal. Après quelques mois de vie commune, John perdit son travail et Marilyn se retrouva contrainte de subvenir à leurs besoins sur sa maigre allocation d'étudiante. Une fois qu'il eut retrouvé du travail, John se distingua par son absentéisme. Il commença à emprunter de grosses sommes d'argent à Marilyn, sans presque jamais la rembourser. Lorsqu'ils rompirent, John avait plusieurs milliers de livres de dettes.

Les chanceux ont tendance à faire preuve d'une bien plus grande perspicacité dans le choix de leurs partenaires. Comme beaucoup de ceux qui ont participé à mes recherches, Sarah voit la chance lui sourire dans sa vie amoureuse. Alors qu'elle fréquentait encore l'université, elle s'inscrivit au Corps d'entraînement des officiers et, dès le premier cours, engagea une conversation avec le jeune instructeur. Tout de suite, les deux jeunes gens eurent la certitude d'être faits l'un pour l'autre. Elle rompit ses fiançailles précédentes pour épouser son instructeur. Une décision audacieuse, mais Sarah était persuadée de faire le bon choix. L'épreuve du temps prouva qu'elle ne s'était pas trompée puisque son couple, après plus de vingt-sept ans de vie commune, est toujours aussi harmonieux.

La faculté des chanceux de prendre des décisions positives se manifeste aussi dans leur vie professionnelle. Ils font toujours confiance à des collègues ou des clients qui s'avèrent honnêtes et fiables et procèdent à des choix opportuns dans leur travail et dans le domaine financier. Les malchanceux font exactement le contraire. Ils sont enclins à faire des choix malavisés en affaires, achètent des actions au moment où la Bourse est sur le point de s'effondrer et parient sur des chevaux qui tombent au premier obstacle.

À la question de savoir à quoi ils attribuent leurs décisions chanceuses ou malchanceuses, mes sujets restaient à court d'arguments. Comme dans bien d'autres domaines, ils avaient du mal à expliquer les raisons d'une chance ou d'une malchance constante. Les chanceux se contentaient de dire que parfois ils savaient, tout simplement, qu'ils prenaient la bonne décision. À l'inverse, les malchanceux voyaient dans nombre de leurs décisions fâcheuses une preuve supplémentaire du fait qu'ils étaient voués à l'échec. J'ai entamé des recherches destinées à découvrir pourquoi les décisions des chanceux s'avéraient beaucoup plus positives que celles des malchanceux. Leurs résultats allaient démontrer les facultés remarquables de notre inconscient.

Commençons par une démonstration originale. Dans les pages suivantes, vous allez trouver des illustrations et de brèves descriptions de six analystes financiers imaginaires. Tous ces hommes ont passé de longues années à se pencher sur la Bourse. Certains ont connu une réussite éclatante ; d'autres pas. Lisez ces descriptions, regardez les illustrations correspondantes et passez quelques secondes à vous demander quel genre de personne est l'analyste en question.

1) John est multimillionaire, grâce à sa faculté de prédire avec précision et succès les cours de la Bourse.

2) Depuis dix ans, Bill prédit à bon escient, de manière constante et très fructueuse, les résultats des cours de la Bourse.

3) Les prévisions d'Éric en matière de Bourse s'avèrent toujours erronées et il s'est acquis une réputation de piètre analyste.

4) Norman a perdu de grosses sommes d'argent en raison de ses mauvaises prédictions des cours de la Bourse.

5) Jack a le don mystérieux de deviner quelles actions vont fructifier et ses investissements lui ont rapporté des millions.

6) David envisage actuellement de changer de métier, car ses prévisions boursières sont presque toujours malheureuses.

Vous les avez regardés tous les six? À présent, je vais vous présenter deux autres analystes financiers. Imaginez qu'ils vont tous les deux vous donner des conseils sur la meilleure façon de placer vos économies. C'est la première fois que vous les rencontrez et vous ignorez tout de leurs antécédents. J'aimerais que vous regardiez vite leurs visages et que vous me disiez les conseils duquel vous allez suivre. Ne réfléchissez pas trop longtemps. Jetez-leur juste un coup d'œil, faites confiance à votre intuition, prenez une décision et revenez à cette page. Vous trouverez les images de ces analystes dans l'annexe B.

Souvenez-vous de l'analyste que vous avez sélectionné. Avant d'examiner la signification de votre choix, nous devons revenir à mes recherches de départ sur le mystère qui pousse les chanceux à prendre les bonnes décisions.

SOUS-PRINCIPE 1 : LES CHANCEUX ÉCOUTENT LEUR « VOIX INTÉRIEURE »

J'ai étudié les différentes façons qu'ont les chanceux et les malchanceux de prendre des décisions. Celles dont ils mesurent les données, réfléchissent aux différentes options et en choisissent une. Au départ, je n'ai pratiquement trouvé aucune différence entre les deux groupes. J'ai alors décidé de me pencher sur le rôle d'un élément plutôt mystérieux des prises de décision, à savoir l'intuition.

La plupart des sentiments sont relativement faciles à définir. Nous savons ce que veut dire une personne qui prétend être heureuse, triste, en colère ou calme. Mais si elle se dit intuitive, nous avons beaucoup plus de mal à saisir ce qu'elle entend par là. En partie parce que ce mot recouvre des choses différentes selon les individus. Certains parlent d'intuition pour évoquer des exemples de découvertes subites. Il nous arrive de réfléchir à une question ou à un problème pendant des heures, des jours, voire des mois. Et au moment où nous nous y attendons le moins, une réponse nous saute à l'esprit. Pour certains, l'intuition est à la source de cet « Eurêka! » qui semble jaillir de nulle part. D'autres se serviront de ce mot pour décrire une forme de créativité. Les artistes, les poètes, les écrivains se réfèrent souvent à leurs facultés intuitives lorsqu'ils évoquent le processus de création qui est à la source de leurs tableaux, de leurs poèmes ou de leurs romans.

Ces types d'intuition ne m'intéressaient pas. Je voulais explorer les manières dont nous utilisons notre intuition pour prendre des décisions importantes. De cette sensation curieuse qui fait qu'une chose que nous venons ou que nous sommes sur le point d'accomplir nous semble tout à fait appropriée ou très inadéquate. Qui nous dit si la personne que nous venons de rencontrer est le/la compagnon/compagne de nos rêves ou un être totalement indigne de confiance. Si une décision professionnelle risquée sera couronnée de succès ou absolument désastreuse. Les chanceux font-ils plus souvent appel à leur intuition que les malchanceux? Dans ce cas, s'en servent-ils dans tous les domaines de leur vie ou pour certains types de décision uniquement? Pour éclaircir ces points, j'ai décidé d'effectuer un sondage, dans lequel j'ai demandé à plus d'une centaine de sujets des deux catégories de répondre à un bref questionnaire sur le rôle joué par l'intuition dans leur vie. Ils devaient préciser s'ils s'en servaient pour prendre des décisions dans quatre domaines précis, à savoir leur métier, leurs relations personnelles, leurs affaires et leurs finances.

Les résultats de ce sondage m'ont fasciné. Comme vous le montre le graphique en page 98, un très grand pourcentage de chanceux prennent des décisions sur la foi de leur intuition dans deux des quatre domaines cités dans le sondage. Environ 90 % d'entre eux lui font confiance dans leurs relations personnelles et 80 % ou presque affirment qu'elle joue un rôle capital dans leurs choix professionnels. Mais on constate surtout qu'un pourcentage plus large de chanceux que de malchanceux suit son intuition dans les quatre domaines. Souvent, la proportion est loin d'être anodine. Les chanceux utilisent leur intuition pour prendre leurs décisions financières importantes une vingtaine de fois plus souvent que les malchanceux et y ont recours plus de vingt fois plus souvent dans leurs réflexions à propos de leurs choix de carrière.

Ces résultats suggéraient un lien important entre la chance et l'intuition. Pour prendre des décisions importantes, bien davantage de chanceux que de malchanceux font appel à leur intuition. Conclusion lumineuse: dans le domaine de la chance, l'intuition joue un rôle. Par ailleurs, ils suscitaient davantage de questions que de réponses: l'instinct des chanceux est-il particulièrement juste et fiable? Et si tel est le cas, pour quelle raison?

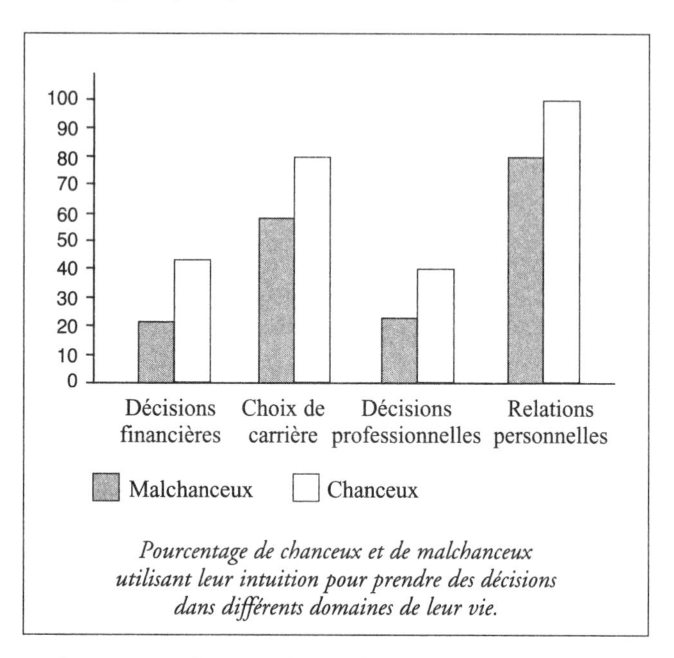

Pourcentage de chanceux et de malchanceux utilisant leur intuition pour prendre des décisions dans différents domaines de leur vie.

Qu'est-ce qui fait que les malchanceux prennent beaucoup moins souvent de décisions par intuition que les chanceux ? Si je voulais en savoir davantage, il me fallait fouiller plus profondément l'inconscient.

En plus d'une centaine d'années, les recherches en psychologie ont apporté de nombreuses révélations sur nos modes de pensée, de perception et de comportement. Certaines des découvertes les plus surprenantes et mystérieuses tournent autour du rôle de l'inconscient dans notre vie quotidienne. Mais il est tout aussi difficile de définir ce que recouvrent exactement les termes « conscient » et « inconscient » que le mot « intuition ».

À l'heure actuelle, vous êtes conscient de lire cette page. À présent, songez à la pression de votre corps dans le fauteuil que vous occupez. Vous allez cesser d'être conscient des mots que vous lisez pour vous concentrer sur vos sensations. De la même façon, nous avons l'impression d'être conscient du pourquoi de certaines de nos décisions. Si je vous demande ce qui vous a poussé/e à acheter tel pull ou à peindre votre chambre en jaune, vous me donnerez probablement une bonne raison. Vous avez peut-être acheté le pull parce que son motif vous plaisait. Choisi la peinture jaune parce qu'elle vous procurait une sensation de confort et de chaleur. Vous savez ce qui a dicté votre choix. Que ces décisions relèvent de la banalité ou de l'essentiel, vous avez conscience de la réflexion qui vous a amené/e à les prendre.

Ou, tout au moins, vous le pensez. Mais si tout cela n'était qu'une illusion ? Si un grand nombre de vos décisions importantes étaient influencées par des facteurs extérieurs à votre conscience ? Cette idée ressemble peut-être à un scénario de film ou à une théorie de la conspiration, mais c'est pourtant le cas, comme le suggèrent des centaines d'expériences psychologiques. Nous n'avons conscience que de bribes des facteurs qui influencent nos modes de pensée, de décision, de comportement. Car c'est souvent notre inconscient qui se taille la part du lion.

Examinons une des conséquences directes de l'influence de l'inconscient sur certaines de nos décisions. Nous avons tous des besoins et des désirs. La plupart d'entre nous aimeraient trouver le compagnon ou la compagne idéal(e) et découvrir un moyen facile de gagner beaucoup d'argent. Les désirs peuvent exercer un véritable empire sur la vision du monde de certains, voire même leur faire voir ce qu'ils aimeraient voir au lieu de ce qu'ils ont juste sous le nez. Leur désir de trouver le compagnon ou la compagne idéal/e les amène à ne pas tenir compte de preuves flagrantes de tromperie ou d'incompatibilité. De même que leur besoin de gagner facilement de l'argent les incite à investir dans des placements qui relèvent

Exercice 7 : Le rôle de l'intuition dans votre vie

Cet exercice consiste à déterminer dans quelle mesure votre intuition, vos pressentiments positifs et votre instinct ont joué un rôle dans votre vie.

En haut d'une page vierge de votre Journal de Chance, inscrivez le titre « Cas où j'ai été content/e d'avoir suivi mon intuition ».

Réfléchissez aux occasions où une personne ou une situation vous a inspiré une forte intuition que vous vous réjouissez aujourd'hui d'avoir suivie. Peut-être que le jour où on vous a présenté votre compagnon/compagne, vous avez su tout simplement que vous étiez faits l'un pour l'autre et que votre vie commune vous comble depuis longtemps. Peut-être que votre instinct vous a dit que vous ne pouviez plus faire confiance à un ami de longue date, vous a retenu de lui confier une information d'ordre privé, et que vous avez découvert plus tard qu'il cancanait sur vous dans votre dos. Peut-être que votre intuition concernait un événement de votre vie professionnelle. Vous avez subitement eu la certitude qu'il vous fallait changer de métier et, malgré les avertissements de votre entourage, vous avez suivi votre intuition et obtenu le travail de vos rêves.

Décrivez brièvement ces événements dans votre Journal de Chance.

Sur la page suivante, inscrivez le titre « Cas où je n'ai pas suivi mon intuition et où je m'en suis mordu les doigts ».

Cette fois, réfléchissez à des circonstances dans lesquelles vous ne vous êtes pas fié/e, à votre grand regret, à une forte intuition concernant une personne ou un événement. Votre instinct vous a peut-être dit que votre compagnon/e vous trompait, mais vous n'avez pas rompu et avez découvert par la suite qu'il ou elle vous était effectivement infidèle. Ou bien vous avez conclu une affaire alors que vous aviez le sentiment que quelque chose clochait et vous avez regretté de ne pas avoir suivi votre voix intérieure.

Regardez ces événements que vous avez décrits sur ces deux pages de votre Journal de Chance. La plupart des personnes qui font cet exercice s'aperçoivent que l'intuition a joué un rôle capital dans certaines des décisions importantes de leur vie. Beaucoup réalisent aussi que certains de leurs échecs proviennent du fait qu'elles n'ont pas voulu écouter leur voix intérieure. Imaginez une vie dans laquelle vous auriez des intuitions beaucoup plus fréquentes et plus justes. Une vie dans laquelle vos pressentiments serviraient de sonnette d'alarme fiable quant au bien-fondé d'une situation.

manifestement de l'arnaque. Inconsciemment pourtant, ces individus savent souvent qu'ils s'illusionnent eux-mêmes en se forçant à croire à ce qu'ils veulent croire. En leur for intérieur, ils savent bien qu'il y a maldonne. Et ce sentiment bizarre prend souvent la forme d'une intuition : une voix intérieure, un pressentiment leur dit qu'ils se trompent eux-mêmes. Certains décident de suivre cette voix intérieure ; d'autres préfèrent continuer à prendre leurs désirs pour des réalités et à faire la sourde oreille. Dans l'un ou l'autre cas, cet exemple démontre le pouvoir que peut exercer notre intuition sur nos modes de pensée, de perception et de comportement. Mais les choses sont loin de s'arrêter là. En fait, nous ne voyons ici que le sommet de l'iceberg.

Revenons à notre exemple précédent : l'achat de votre pull ou la couleur de la peinture pour votre chambre. Vous avez l'impression de savoir parfaitement pourquoi votre choix s'est porté sur eux. C'est probablement exact, dans une certaine mesure. Mais pour quelle raison aimiez-vous davantage le motif de ce pull plutôt que celui des autres pulls ? Pourquoi avez-vous préféré la peinture jaune à la peinture bleue ? Dans quelle mesure ces préférences ont-elles été guidées par votre intuition ?

Cette question a fait l'objet d'une très grosse somme d'études, dont les résultats sont parfois surprenants. Lors d'une expérience célèbre, on a montré aux sujets quelques gribouillages sur des feuilles de papier. Des dessins sans la moindre signification. Puis on leur a présenté une très longue série de gribouillages. Certains faisaient partie de ceux qu'ils avaient déjà vus; d'autres étaient entièrement nouveaux. On a demandé aux sujets d'essayer d'identifier ceux qu'ils connaissaient déjà et les autres. Conclusion : il est très difficile de se souvenir d'un gribouillage et les sujets ont été incapables de faire la différence entre eux.

On leur a ensuite simplement demandé de dire quel était leur gribouillage préféré. Certains leur plaisaient beaucoup; d'autres pas du tout. Mais lorsque les expérimentateurs ont examiné les gribouillages choisis, ils ont fait une découverte étonnante: sans en avoir conscience, les sujets choisissaient presque toujours les gribouillages qu'ils avaient déjà vus dans la première partie de l'expérience. Ils ne s'en souvenaient pas consciemment, mais ils les préféraient, sans savoir pourquoi. Le plus intéressant, c'est qu'ils évoquaient toutes sortes de raisons pour justifier leur décision. Certains disaient les avoir choisis parce qu'ils les trouvaient plus esthétiques, d'autres parce qu'ils avaient simplement « l'impression » de ne pas se tromper. Aucun ou presque, de façon incroyable, ne se doutait du véritable facteur ayant influencé leur décision, à savoir qu'ils connaissaient déjà ces gribouillages.

On ne peut dire que ce résultat relève du hasard, parce que les psychologues ont rencontré ce phénomène à de nombreuses reprises, en laboratoire ou à l'extérieur. Et cet effet de « familiarité » ne se cantonne pas aux gribouillages. Il s'applique aux couleurs, aux formes, aux schémas, aux visages et aux objets. Sans en avoir conscience, nous préférons tous les choses que nous avons déjà vues. Ce phénomène affecte maintes de nos réflexions et nombre de nos comportements quotidiens. Il explique pourquoi les entreprises sont prêtes à dépenser des millions dans des campagnes de publicité pour que le public voie leurs produits. Plus il les voit, plus il les aime. Notre inconscient guide une grande partie de nos choix quotidiens. Des pulls que nous achetons à la couleur que nous choisissons pour peindre notre chambre. Des marchandises que nous nous procurons au supermarché.

Dans ce genre de préférences, les réponses bonnes ou mauvaises n'existent pas. Le meilleur pull est celui que nous préférons. La meilleure couleur est celle qui nous inspire un bien-être. Les pois sont tout aussi valables que les rayures. Le jaune tout aussi beau que le mauve. La beauté se situe dans l'œil du spectateur. Mais ce postulat ne s'applique pas à tous les domaines de notre vie. Parmi les gens que nous rencontrons, certains sont honnêtes et dignes de confiance, d'autres pas. À partir de décisions professionnelles, certains feront des profits sidérants et d'autres se ruineront. Des études ont permis de constater que notre inconscient joue un rôle capital dans la prise de ces importantes décisions.

Il vous est sans doute arrivé d'éprouver un sentiment très fort à l'égard de personnes qui viennent de vous être présentées. Vous ignorez pourquoi, mais elles ont « quelque chose ». Ce « quelque chose » peut être positif. Elles vous plaisent vraiment. Il peut même s'agir d'un coup de foudre. À l'inverse, elles peuvent vous inspirer un sentiment négatif. Sans savoir pourquoi, vous ne leur faites pas confiance. Ces intuitions dictent souvent la longueur d'une conversation que nous avons avec un individu, notre désir de le revoir, la confiance qu'il nous inspire ou l'envie de traiter avec lui. Les résultats d'expériences récentes indiquent que les décisions de cet ordre dépendent elles aussi des rouages cachés de notre inconscient. Je viens d'employer l'adjectif « récentes ». En fait, vous venez d'être l'objet de l'une de ces expériences au cours du dernier quart d'heure.

Vous vous souvenez des différents analystes financiers qui vous ont été présentés en début de chapitre ? Cette simple démonstration était destinée à découvrir si votre inconscient influence ou non l'impression que vous vous faites des gens. Je vous ai demandé d'étudier les images de six analystes financiers imaginaires. Des hommes, selon les cas, qui réussissaient ou non. Puis je vous ai prié de regarder deux autres analystes et de choisir celui dont vous suivriez les conseils pour placer vos économies. Reportez-vous une nouvelle fois à l'annexe B. Je prédis que vous avez choisi l'analyste 1. Cette décision est basée sur un test du même ordre effectué dans mon laboratoire, au cours duquel 90 % de mes sujets l'ont choisi. Ce test ne fonctionne pas avec tout le monde, mais quasiment. Il a également révélé que la plupart d'entre eux ignoraient la raison de leur choix et l'attribuaient simplement à une intuition.

Cette démonstration est inspirée d'un autre test ingénieux effectué par Thomas Hill et ses collègues à l'université de Tulsa. Hill a présenté plusieurs croquis de visages à ses étudiants. Ces dessins avaient été conçus de manière à ce que la distance entre les yeux et le menton des personnages soit relativement importante ou réduite. Lorsqu'elle était petite, le visage avait l'air rond, et dans le cas inverse, long. Il leur a dit que ces visages étaient ceux de professeurs d'université qui se montraient plus ou moins justes dans l'évaluation de leurs étudiants. À une moitié de ses sujets, il a déclaré que les professeurs au visage long étaient justes et que ceux au visage rond étaient injustes. À l'autre moitié, il a affirmé le contraire.

Ensuite, il leur a présenté deux autres visages et demandé de lui dire s'ils appartenaient à des personnes justes ou injustes. L'un des visages était long, l'autre rond. Les résultats ont été parlants : les étudiants auxquels il avait dit que les professeurs au visage long étaient justes ont déclaré que la personne au visage long était beaucoup plus juste que l'autre. Ceux de l'autre groupe, à qui il avait dit l'inverse, ont porté leur choix sur le professeur au visage rond. Quand il leur a demandé à partir de quel critère ils avaient émis leur jugement, pas un n'a mentionné qu'il avait été influencé par les visages précédents. Ils avaient simplement l'impression d'avoir suivi leur intuition. En fait, ils avaient repéré un schéma à leur insu sur les premiers visages, qu'ils avaient reporté sur les autres. Leur inconscient les avait tout de suite poussés à juger et à classer intuitivement ces nouveaux visages.

Dans l'expérience présentée en début de chapitre, une relation existe entre les six premiers visages des analystes financiers et leur degré de réussite. Ceux au visage long sont censés avoir réussi ; les autres pas. Votre inconscient a peut-être noté ces différences à votre insu et influencé votre évaluation des deux autres analystes financiers. L'analyste 1, que préfèrent la plupart des sujets, a un visage long. Les analystes précédents qui avaient « réussi » possédaient eux aussi un visage long, de telle sorte que cet élément a peut-être influencé inconsciemment votre choix. Vous avez peut-être pensé que vous vous contentiez de deviner la réponse ou que votre instinct vous disait lequel était le plus compétent. En fait, il est probable que votre décision a été en partie dictée par les remarquables capacités de notre inconscient à discerner des schémas.

Bien sûr, ces expériences ne portent que sur des formes et des représentations de visages très simples, quelque peu artificielles. Dans celle de Thomas Hill, les professeurs justes avaient des visages longs et les injustes des visages ronds. Dans ma démonstration, les analystes financiers prospères des visages longs et les autres des visages ronds. Dans la réalité, les choses sont bien plus nuancées, et on aurait tort de juger quelqu'un sur son seul faciès.

L'expérience de Thomas Hill et de ses collègues était en fait destinée en partie à démontrer comment nous pouvons nous laisser égarer par ce genre de critère. Selon eux, il nous suffit parfois de voir quelques personnes correspondant au même schéma pour établir une généralisation que nous appliquerons aux individus que nous rencontrerons par la suite.

Cependant, il arrive que ce même processus inspire des intuitions beaucoup plus justes. Il est exact que certains types d'individus se conduisent d'une manière similaire. Notre inconscient possède une remarquable faculté de relever ces schémas et de déclencher intuitivement une sonnette d'alarme, lorsqu'une situation ou une personne nous paraît clocher, ou le contraire.

Mes entretiens avaient tendance à montrer que les intuitions et les pressentiments positifs des chanceux s'avéraient très souvent payants. À l'inverse, les malchanceux ignoraient souvent leurs intuitions et le regrettaient par la suite.

Nous avons déjà parlé de Marilyn, la malchanceuse. Elle a vécu deux liaisons sérieuses, la première avec Scott, la seconde avec John, qui se sont toutes les deux terminées de façon déplorable. Je lui ai demandé si, avant d'entamer sa vie commune avec eux, elle avait eu une quelconque prémonition à leur sujet. Marilyn m'a répondu que son intuition ne s'était pas contentée de lui souffler des conseils mais de les lui hurler. Voici la description qu'elle m'a faite du pressentiment très négatif que lui criait sa voix intérieure lorsqu'elle est allée chercher Scott à l'aéroport à son retour en Espagne :

> « Je l'ai vu arriver derrière son chariot et je me suis dit “cache-toi pour qu'il ne te voie pas et va-t'en”. Il ne m'a pas vue et j'ai pensé : “Non, ne t'approche pas de lui, sors d'ici et retourne dans ta voiture.” »

Marilyn ne tint pas compte de son pressentiment et le regretta amèrement. Elle éprouva le même genre de prémonition durant toute sa vie commune avec Scott en Espagne. Mais au lieu de prendre la décision de le quitter, elle espéra contre tout espoir qu'il allait devenir adulte :

> « Je l'aimais vraiment, mais pas pour ce qu'il était, pour ce que je voulais qu'il soit et ce que je pensais qu'il deviendrait. Je regardais vers l'avenir, dans l'espoir qu'il allait grandir. »

En dépit de ce que lui criait son intuition, Marilyn s'entêta et resta plus d'un an et demi avec Scott. Sa seconde relation, avec John, se termina tout aussi mal. Elle sent, là aussi, que son intuition avait vu juste, mais qu'elle ne l'a pas écoutée :

> « Je connaissais bien John, je savais qu'il me mentait comme un arracheur de dents. Il n'arrêtait pas d'inventer des histoires à dormir debout. Dès le premier jour, je ne lui ai pas fait confiance. Jamais, jamais… Mais j'ai continué à vivre avec lui parce que je me sentais seule. La vie à Londres peut être très éprouvante, et j'avais sans doute besoin de lui. »

Cette attitude ne se cantonne pas à la vie amoureuse.

Dans le chapitre 2, nous avons rencontré Lee. Il a échappé à plusieurs accidents graves et il réussit très bien dans son métier de directeur de marketing. Lee se souvient avec une grande netteté du moment où il a rencontré pour la première fois son épouse. Son intuition lui a dit sur-le-champ qu'ils étaient faits l'un pour l'autre. Et elle ne se trompait pas, puisqu'ils sont heureux ensemble depuis vingt-cinq ans.

Il n'est pas le seul chanceux ayant participé à mes travaux qui ait relaté ce genre d'expérience. Souvenez-vous de Sarah, qui a su en un éclair qu'elle avait rencontré l'homme de sa vie lors du cours de formation des officiers. Il en va de même pour Linda, la grande voyageuse qui saisit souvent de magnifiques occasions dans la presse. Comme Sarah, Linda est heureuse en amour. À l'époque de ses vingt ans, elle s'était fiancée lors d'un voyage au Kenya avec un homme rencontré là-bas. Elle revint en Grande-Bretagne chercher ses affaires et retourna au Kenya pour se marier. Le voyage n'aurait pas dû être très long, mais à cause de la fermeture du canal de Suez, Linda resta coincée un mois sur son navire. Elle y fit connaissance d'un passager et comprit immédiatement qu'il était l'homme de sa vie. Elle annula son mariage au Kenya pour l'épouser, et ils vivent depuis un bonheur sans nuages.

Les intuitions, l'instinct, les pressentiments jouent parfois un rôle capital dans la vie des chanceux. En fait, ils vont jusqu'à faire la différence entre la vie et la mort.

Eleanor est une danseuse de vingt-quatre ans qui vit en Californie. Elle est convaincue que l'une de ses intuitions lui a sauvé la vie. Une nuit, elle rentrait en voiture chez ses parents, quand elle remarqua qu'une moto la suivait. À la conduite bizarre du motard, elle pensa qu'il devait s'être perdu. Quand elle arriva devant la maison de ses parents, il se gara à côté de sa voiture. Elle m'a raconté la suite :

> « Je sais que ça peut paraître bizarre, mais dès que j'ai descendu la vitre, j'ai compris que ça allait mal tourner. Une impression très forte que je n'ai ressentie qu'une ou deux fois dans ma vie. J'ai su, tout de suite. D'un seul coup, j'ai frissonné. Il n'a pas relevé la visière de son casque. J'ai senti une grande menace, une froideur inexplicable. Je savais qu'il avait une arme et qu'il voulait tuer. »

Eleanor ne savait pas bien quoi faire, hormis qu'elle ne devait pas descendre de sa voiture. Discrètement, elle remit le moteur en marche. Le motard s'énerva tout à coup et s'éloigna. Une fois dans la maison, Eleanor appela la police pour leur décrire l'incident. Deux jours plus tard, le motard fut arrêté dans une autre ville par un agent de police. Il sortit son arme et tua l'agent. Plus tard, la police le retrouva et on découvrit qu'il faisait partie d'une bande de hors-la-loi qui n'hésitaient pas à tuer. Eleanor est convaincue que l'intuition qui lui a dicté de remettre son moteur en marche lui a sauvé la vie.

David, maçon londonien de trente-deux ans, m'a décrit pour sa part comment son intuition l'avait sauvé d'un accident grave, voire de la mort :

> « J'effectuais des travaux sur le toit d'une magnifique demeure londonienne. Un grand toit, avec tours, pignons et le reste. Bref, c'était l'hiver, il venait de neiger et je travaillais sur différents endroits du toit. Je me suis aperçu qu'il y avait un renfoncement de cinq mètres carrés dessus. Couvert d'à peu près dix centimètres de neige et situé à environ deux mètres en contrebas du niveau principal. Il avait l'air d'en faire partie et j'allais sauter dessus quand je me suis subitement retenu. Je ne sais pas pourquoi, mais je n'ai pas sauté. Je me suis contenté d'embrasser le reste du toit du regard. C'est seulement quand je suis redescendu et que j'ai traversé la maison que j'ai constaté qu'il s'agissait en fait d'une énorme verrière. La neige qui la recouvrait m'avait empêché de voir que c'était une vitre. Si j'avais sauté, je serais passé à travers et j'aurais fait une chute de vingt mètres dans une cage d'escalier tournante. Le plus étonnant, c'est que ce n'est pas du tout dans ma nature de ne pas avoir sauté. En général, je vais jusqu'au bout de mes entreprises. Mais là, quelque chose m'a stoppé net. L'impression que je ne devais pas sauter. Je n'ai jamais oublié ce jour, et je ne l'oublierai jamais. »

À son insu, la science inconsciente qu'avait David des bâtiments lui inspira peut-être un pressentiment qui lui sauva la vie.

D'autres chanceux m'ont décrit comment leur intuition les aidait à réussir professionnellement. Lee attribue une large part de son succès à de bons pressentiments qu'il éprouve à propos de clients potentiels ou d'employés. Il m'a raconté comment il lui est arrivé d'être convaincu de la justesse de son intuition au point d'aller contre l'avis de ses collègues :

> « Nous avons reçu un appel téléphonique d'un type qui voulait des renseignements. Tout le monde pensait que cela ne valait même pas la peine de discuter avec lui mais moi, je lui ai parlé. Il y avait quelque chose d'indéfinissable dans sa voix qui m'a fait penser "il faut que j'obtienne ce qu'il désire et que j'aille le voir". Je me suis donc décarcassé pour trouver ce qu'il cherchait. Une commande sans importance. Tout le monde m'a dit que je perdais mon temps, mais j'étais décidé à le satisfaire. En fait, j'ai travaillé jusqu'à environ une heure du matin sur sa commande, et je suis allé la lui porter moi-même. En un an, j'ai réalisé un chiffre d'affaires de cent vingt mille livres avec lui. Mon entreprise était ravie. Mais au départ tout le monde était contre, y compris mon patron. Je suis plutôt psychologue et j'ai appris à faire confiance à mon intuition. J'ai aussi formé des vendeurs et en général, ceux en qui je voyais un bon potentiel se sont révélés très efficaces. »

Dans le chapitre précédent, nous avons rencontré Robert, ingénieur en aéronautique, dont le métier consiste à diagnostiquer les dysfonctionnements des avions. Les gros aéroplanes sont manifestement des machines très complexes et il n'est pas toujours facile de déceler l'origine de leurs problèmes. En tout cas, cela prend toujours beaucoup de temps et d'énergie. Mais Robert a le don de mettre le doigt intuitivement sur l'endroit où le bât blesse.

> « Je suis spécialiste d'électronique aérienne : instruments, circuits électriques, radio, transpondeurs, transmetteurs, boîtes noires, etc. Parfois, le problème est si compliqué qu'on se gratte la tête de perplexité. Après de nombreuses années de pratique de ce métier, j'ignore si c'est dû au fait que je m'y connais en avions, mais j'ai l'impression d'être capable de repérer les petits dysfonctionnements. Je peux trouver avec précision ce qui cloche dans un énorme appareil. »

Il arrive souvent aux collègues de Robert de chercher pendant des heures l'origine d'un problème, alors qu'il se fie simplement à son intuition pour choisir l'endroit qu'il va examiner en premier. Et il s'avère, très très souvent, qu'il a tout à fait raison. Ses années d'expérience dans ce domaine complexe lui soufflent où chercher. Son inconscient en a appris davantage sur le fonctionnement des aéroplanes qu'il n'est capable de l'expliquer avec des mots.

John, quant à lui, travaille dans une banque d'affaires où il est chargé de négocier d'importants prêts pour les entreprises. Parmi ses collègues, il a la réputation d'être chanceux. Dans un entretien, lui aussi m'a confié qu'il attribue sa chance à son intuition :

> « Je suis dans la partie depuis fort longtemps, si bien que j'ai acquis un grand savoir-faire. Souvent, lorsque je dois prendre la décision de prêter ou non une somme d'argent substantielle à des clients potentiels, je me fie à mon intuition. Je m'en sers comme d'une sonnette d'alarme : elle me dit de n'en rien faire ou de fouiller davantage leurs antécédents. Je me souviens du cas d'une société qui me demandait un emprunt très élevé. Sur le papier, tout avait l'air en ordre et ses négociateurs s'en tiraient bien lors de nos réunions. Pourtant, quelque chose me titillait. J'ignorais quoi,

> mais je répugnais à signer ce contrat. Tout le monde me poussait à le faire, mais j'ai décidé de les faire attendre quelques jours, le temps que mon équipe fasse une petite enquête. Nous avons regardé de très près d'autres documents et procédé à une investigation plus fouillée de cette entreprise. Un tableau tout à fait différent a surgi. Elle connaissait de graves problèmes financiers, qu'ils avaient réussi à nous cacher. J'ai refusé de leur prêter la somme qu'ils demandaient. Une décision fort avisée, car quelques semaines plus tard, la presse a divulgué les informations que nous avions découvertes et l'entreprise s'est écroulée. »

Personnellement, je peux dire que ma chance a profité de mon intuition. Il y a quelques années, on me demanda de prendre la parole dans une conférence organisée par une banque importante. Pour cela, je devais passer la nuit dans un hôtel contigu au centre de conférences. À mon arrivée à l'hôtel, le concierge voulut prendre une empreinte de ma carte de crédit pour le paiement de la chambre. Je m'étais déjà trouvé des centaines de fois dans cette situation et, en général, je tendais ma carte, sans même réfléchir. Mais là, je ressentis un malaise. J'ignore pourquoi, mais je n'avais tout simplement pas envie de lui confier ma carte de crédit. En fait, mon malaise était si grand que je décidai de payer ma chambre avec un chèque. Le lendemain, je rentrai chez moi après la conférence. Quelques semaines plus tard, je reçus un message téléphonique de l'organisatrice de la conférence qui me demandait de vérifier s'il n'y avait pas eu des irrégularités sur mon relevé de carte bancaire. Je le fis. Tout était en ordre. Je rappelai l'organisatrice pour lui dire que tout allait bien et lui demander par la même occasion pour quelle raison elle m'avait demandé de procéder à cette vérification. Elle m'apprit qu'un employé travaillant dans l'hôtel du centre de conférences venait d'être arrêté, car il faisait partie d'une bande organisée de fraudeurs de cartes de crédit. En fait, de nombreux participants à la conférence en avaient été victimes et s'étaient vu subtiliser de grosses sommes sur leur compte bancaire. J'imagine que les années que j'avais consacrées à l'étude de la psychologie du mensonge m'avaient aidé à détecter inconsciemment le comportement des personnes malhonnêtes, que le concierge se conduisait selon ce schéma et que j'avais senti quelque chose d'anormal. En tout cas, mon intuition m'évita des ennuis et une perte de temps et d'argent. Petite anecdote intéressante: cette conférence portait sur la manière de discerner les tromperies en affaires!

L'instinct, les pressentiments des chanceux se révèlent souvent d'une précision et d'une fiabilité étonnantes. Plus surprenant encore, ils ignorent à quoi attribuer leur succès. Ils ont l'impression qu'il ne s'agit que d'une question de chance. En fait, ce succès est dû aux rouages remarquables de leur inconscient. J'ai alors examiné les raisons pour lesquelles les chanceux sont en apparence plus doués pour utiliser leur intuition et cette phase finale de cette partie de mes travaux a révélé comment nous pouvons tous apprendre à prendre de meilleures décisions.

SOUS-PRINCIPE 2 : LES CHANCEUX PRENNENT DES MESURES POUR DÉVELOPPER LEUR INTUITION

En début de chapitre, j'ai décrit mes sondages sur la chance et l'intuition. J'ai interrogé des chanceux et des malchanceux sur la fréquence à laquelle ils avaient recours à leur intuition et étudié les domaines dans lesquels ils avaient tendance à s'y fier. J'en ai conclu que les chanceux lui faisaient plus souvent confiance que les malchanceux dans quatre branches importantes: affaires, finances, relations privées et carrière. Mais lors de la préparation du questionnaire, je me suis aperçu que la connaissance de cette fréquence n'éclairait qu'une partie du puzzle. J'avais également besoin de savoir si les chanceux avaient une technique pour développer leur instinct et leurs pressentiments. Avant de rédiger ce questionnaire, j'ai donc passé en revue les principaux ouvrages populaires et les études consacrés à ce sujet et j'ai dressé une liste des techniques les plus fréquemment utilisées pour aiguiser l'intuition. Elles incluaient un vaste éventail de méthodes, telles que se débarrasser des autres pensées, méditer, se recueillir dans un endroit calme et ainsi de suite. Durant la seconde partie de mon sondage, j'ai présenté cette liste à mes sujets et je leur ai demandé — s'ils en utilisaient une — de m'indiquer à laquelle de ces techniques ils faisaient régulièrement appel.

Leurs réponses se sont révélées une fois de plus fascinantes.

Le graphique ci-dessous montre qu'un pourcentage plus élevé de chanceux que de malchanceux utilise ces techniques. Certaines des différences sont frappantes:

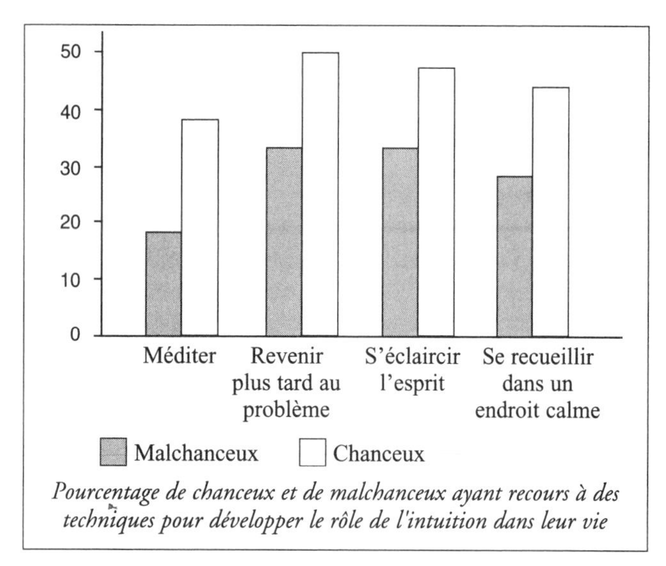

Pourcentage de chanceux et de malchanceux ayant recours à des techniques pour développer le rôle de l'intuition dans leur vie

20 % environ de chanceux méditent par exemple plus souvent que les malchanceux.

Mes entretiens avec les chanceux ont éclairé l'impact essentiel exercé par ces techniques sur leur vie.

Nancy est une infirmière de soixante-quatre ans qui vit à Las Vegas. Elle a eu de la chance dans bien des domaines. Elle grandit dans le Wisconsin, vécut une enfance idyllique et fit ses études secondaires avec grand plaisir. Elle obtint une bourse pour apprendre le métier d'infirmière et, depuis, a toujours eu la chance de se voir offrir des postes qui lui convenaient :

> « À mon arrivée à Las Vegas, j'ai trouvé le job idéal. J'étais ma propre patronne, à la tête d'un programme pour le bien-être des personnes du troisième âge. Je pouvais faire ce qui me plaisait. Organiser mes horaires et mon travail. J'ai conservé cet emploi plus de dix ans. Il y a deux ans, j'ai demandé à l'hôpital si je pouvais également organiser un service à l'intention des enfants en difficulté scolaire. Ils ont tout de suite accepté et m'ont laissée totalement la bride sur le cou. J'ai donc eu beaucoup de chance. J'étais sans doute la seule employée de cette organisation qui en compte plusieurs milliers à pouvoir faire littéralement ce qu'elle voulait. En rendant des comptes, bien évidemment, mais c'était un travail idéal. »

Par le passé, Nancy n'a cependant pas été toujours chanceuse. En fait, elle a beaucoup joué de malchance en amour. Lorsqu'elle jette un coup d'œil en arrière, elle en attribue une large part au fait qu'elle répugnait à se fier à son intuition :

> « J'ai rencontré mon mari tout de suite après avoir achevé mes études. Au début, il ne me plaisait même pas. Mais comme il me poursuivait avec une assiduité sans pareille, j'ai fini par céder. Quand je sortais avec

lui, mon intuition ne cessait de tirer la sonnette d'alarme. Le jour même de mon mariage, j'avais conscience de faire fausse route. J'ignore pourquoi, mais je savais que ça ne collait pas, tout simplement. Mais je me suis dit que les invitations étaient parties, que tout était organisé, que toutes mes amies se mariaient aussi, et j'ai franchi le pas. Mon mariage a été un fiasco. Nous sommes restés mariés trente-sept ans, nous avons eu cinq enfants, j'étais souvent totalement découragée et je me contentais de m'accrocher. Que faire quand on a cinq enfants? Pour finir, j'ai trouvé la force de dire « Tu sais, ça ne marche pas », et je l'ai quitté. Une décision avisée. Et j'ai vraiment de la chance avec mes enfants. J'entretiens de très bonnes relations avec eux.

« Après la rupture de mon mariage, j'ai eu plusieurs liaisons. Là encore, mon intuition tirait la sonnette d'alarme mais j'ai continué à l'ignorer et elles ont toutes capoté. Aujourd'hui, les choses ont beaucoup évolué. Je me suis penchée sur la question de l'intuition. J'ai commencé à donner des cours aux infirmières qui se consacrent aux malades mentaux et j'ai lu beaucoup d'ouvrages de psychologie. Je suis donc plus consciente. Vous savez, dans ma jeunesse je ne me rendais compte de rien. À présent, j'ai davantage de connaissances, de conscience, de sagesse. Mes jugements, mes décisions sont plus avisés. J'ai fini par apprendre ma leçon et par ne plus me fourrer dans des situations négatives. Je deviens plus sage, je me fie à mon intuition. Je crois savoir exactement ce qui va se produire, mais cela ne m'empêche pas d'y réfléchir et parfois de m'engager un peu. »

Nancy n'obéit pas aveuglément à son intuition. Elle la considère comme une mise en garde qui lui indique de procéder avec précaution :

« L'intuition a contribué à ma chance de maintes façons. Il me suffit d'être assise à côté de quelqu'un dans une réunion pour savoir si je peux ou non lui faire confiance. De la même manière, quand j'ai voulu acheter une voiture, j'ai su exactement à quel vendeur je pouvais me fier. J'en ai trouvé une et j'ai conclu une affaire formidable. Je dirais qu'il s'agit d'une espèce de connaissance. Lorsque j'écoute mon intuition, j'ai tendance à bien m'en sortir. Je suis également capable de repérer les personnes qui vont me « pomper » et je me détourne d'elles car elles me vident de mon énergie.

« Il ne s'agit pas que d'une question de rencontres. À deux reprises, j'ai attendu à un stop alors qu'en temps normal, j'aurais continué. La voie était libre mais je me suis arrêtée. Mon intuition m'en a donné l'ordre. Subitement, j'ai pensé « quelqu'un pourrait traverser ici ». Et les deux fois, une voiture a filé sous mon nez. Les conducteurs n'avaient sans doute pas vu le panneau stop et ils sont passés à toute vitesse. Dans les deux cas, je me serais trouvée au beau milieu du croisement et le carambolage aurait été inévitable. Une fois du côté du siège du conducteur ; l'autre fois du côté du siège du passager. Je pense qu'en ces deux circonstances, mon intuition m'a sauvé la vie. »

Nancy m'a aussi expliqué comment elle fait appel à plusieurs techniques pour développer son instinct et ses bons pressentiments :

« Quand la sonnette d'alarme tinte, je prends le temps d'examiner la situation. Je pratique aussi un peu la méditation. En général, j'ai un peu de mal à me calmer, mais je me dis : "Et alors, fais-le quand même !" J'essaie vraiment de trouver la paix intérieure. Et je me repose souvent sur des indices qui viennent de mes rêves. En fait, je l'ai fait il y a deux jours. Il y a quelque

> temps, j'ai accepté un job à l'hospice. Du point de vue de ma carrière, c'est un pas en arrière. Mais récemment, j'ai rêvé que je rencontrais une femme qui était conseillère politique et que je trouvais qu'elle menait une vie intéressante. Je me disais que je devais écrire sa biographie, parce qu'elle intéresserait beaucoup de monde. À mon réveil, mon rêve m'a poursuivie. L'an dernier, j'ai suivi un cours d'écriture, et voici que dans mon rêve, je dis à cette femme que je veux écrire sa vie. Je me suis alors posé des questions : "Suis-je sur une fausse piste ?" "Au lieu de persister dans cette direction, est-ce que je ne devrais pas plutôt écrire ?" J'en ai conclu que mon intuition essaie de me dire que je fais fausse route. Je me suis demandé pourquoi j'exerçais ce métier si je n'y mettais pas tout mon cœur. Je songe donc à quitter l'hospice pour me consacrer davantage à l'écriture. »

Nancy n'est pas la seule à m'avoir décrit des techniques qui permettent de développer l'intuition. Jonathan, quarante ans, est directeur d'une entreprise qui organise des expositions internationales. Il a bénéficié de beaucoup de bonnes occasions dans sa carrière et est heureusement marié depuis vingt ans. Il a également la réputation d'avoir une intuition très fiable en matière de décisions professionnelles :

> « Il y a environ deux ans et demi, j'ai eu une idée qui pouvait s'appliquer à une société comme la mienne. Un concept entièrement nouveau, concernant la gestion des pensions et des investissements. J'ai vu une ouverture dans le marché, fait une proposition en pressentant très fortement qu'il y avait une demande. Il m'arrive souvent d'avoir des idées, mais je savais que celle-là était particulièrement bonne. Après quelques réticences, mon entreprise l'a lancée et la réaction du marché est formidable. »

Durant cet entretien, Jonathan m'a également confié que la méditation l'aidait à développer son intuition :

> « J'ai commencé la méditation transcendantale il y a quelques années et je m'y consacre régulièrement deux fois par jour... Pendant vingt minutes vous répétez un mantra. Un de mes amis la pratiquait et ce qui m'a séduit, c'est qu'elle ne relève d'aucun dogme, d'aucune religion. C'est juste un moyen d'établir le contact avec son moi intérieur. Elle est censée améliorer beaucoup de choses : énergie, concentration, physiologie, etc. Dans mon cas, je pense qu'elle développe surtout mon intuition et ma chance. Elle m'aide à me fier à mon instinct dans toutes sortes de domaines, à traiter avec un client donné, à prendre des décisions professionnelles et ainsi de suite. Elle m'aide simplement à suivre mes pressentiments. Et il ne s'agit pas que de décisions de travail... Récemment, nous avons failli acheter une maison mais mon instinct m'a dit de n'en rien faire à la dernière minute. »

Milton, trente-quatre ans, enseignant à San Diego, m'a également décrit le rôle important joué par son intuition et la manière dont il la développait grâce à la méditation :

> « Le seul problème, avec l'intuition, c'est quand on ne s'y fie pas. On peut la comparer à un papillon qui volette dans notre tête. Si on n'y prête qu'à moitié attention, des choses négatives se produisent et on regrette vraiment de ne pas avoir été attentif. Ce papillon, il faut l'attraper. J'ai toujours pratiqué la méditation. Elle aide beaucoup, car elle permet à notre imagination de décoller pour que nous puissions faire des choses que nous ne ferions pas en temps normal. Elle nous incite à être détendus et libres. Elle développe les sentiments que nous éprouvons à l'égard des autres et augmente notre intuition et notre chance. »

Exercice 8 : Votre profil chance : Deuxième principe

Il est temps de revenir au questionnaire profil de la page 18. Les critères 4 et 5 se rapportent aux sous-principes évoqués dans ce chapitre. Le critère 4 concerne votre propension à écouter votre voix intérieure et le 5 les mesures éventuelles que vous prenez pour augmenter vos facultés intuitives.

Score

Revenez aux notes que vous avez accordées à ces deux critères, puis additionnez-les pour obtenir un seul score (voir exemple ci-dessous). Il s'agit de votre score au deuxième principe de la chance.

	Données	*Votre note (1-5)*
4	J'écoute souvent ma « voix intérieure »	2
5	J'ai essayé plusieurs techniques pour développer mon intuition, comme méditer ou me recueillir dans un endroit calme	1
Total pour le second principe de la chance		**3**

Regardez à présent l'échelle ci-dessous afin de découvrir si votre score est élevé, moyen ou bas. Notez votre score et sa catégorie dans votre Journal de Chance, car ils auront de l'importance au moment où nous évoquerons les meilleurs moyens de développer votre chance.

Scores bas			Scores moyens			Scores élevés		
2	3	4	5	6	7	8	9	10
	X							

J'ai fait remplir ce questionnaire à un grand nombre de chanceux, de malchanceux et de neutres. Les chanceux ont des scores beaucoup plus élevés que les autres sur ces deux critères. Les malchanceux obtiennent en général les scores les plus bas (voir graphique ci-dessous).

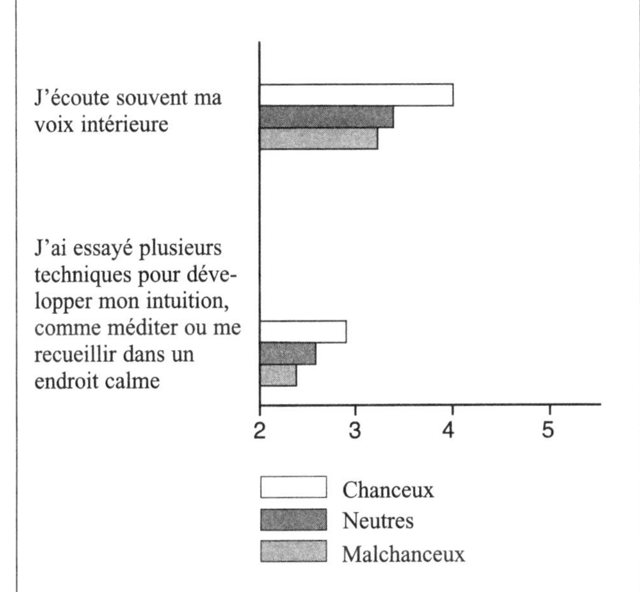

Scores moyens des chanceux, des neutres et des malchanceux au Questionnaire profil

Résumé du chapitre

Les malchanceux ont tendance à prendre des décisions fâcheuses : ils font confiance aux mauvaises personnes et effectuent de piètres choix de carrière. À l'inverse, les chanceux ont le don mystérieux de se fier à des personnes honnêtes et de prendre des décisions professionnelles avisées et fructueuses. Ces différences sont liées à l'utilisation différente que font les uns et les autres de leur intuition au moment de prendre des décisions importantes. Les malchanceux ont tendance à ne pas se fier à leur intuition, leur instinct et leurs pressentiments. Non pas qu'ils soient dépourvus de ces sentiments. Simplement, ils ne « stimulent » pas leur intuition et ne l'écoutent pas quand elle leur parle. Les chanceux font exactement l'inverse. Attentifs à leur intuition, ils s'en servent comme sonnette d'alarme, comme une bonne raison de prendre le temps d'examiner une situation avec précaution. Beaucoup de chanceux prennent également des mesures pour développer leurs facultés intuitives, en méditant ou en s'abstrayant mentalement de tout le reste. Ils ont assez d'assurance pour se fier à leur voix intérieure et développer leurs sentiments intuitifs. Ce faisant, ils récoltent les bénéfices d'une vie pleine de décisions fructueuses.

Deuxième principe : écouter ses intuitions

Les chanceux prennent des décisions positives en se servant de leur intuition et de leur instinct.

Sous-principes

1 : Les chanceux écoutent leur « voix intérieure ».

2 : Les chanceux prennent des mesures pour développer leur intuition.

5
Troisième principe
ATTENDRE LA BONNE FORTUNE

PRINCIPE : LES CHANCEUX NOURRISSENT DES ATTENTES QUI LES AIDENT À RÉALISER LEURS RÊVES ET LEURS AMBITIONS.

Nous avons tous des rêves et des ambitions. Certains veulent faire une carrière brillante, d'autres gagner au loto ou accomplir le tour du monde. En secret, l'un souhaite devenir écrivain, l'autre peintre ou acteur. La plupart des êtres ont envie de vivre une relation amoureuse qui les comblera, beaucoup voudraient trouver un emploi qui leur plaît et tous, cela va sans dire, souhaitent jouir d'une bonne santé. Mes recherches ont révélé que les rêves et les ambitions des chanceux se concrétisent souvent, alors que les malchanceux obtiennent rarement ce qu'ils souhaitent de la vie.

La malchance de Clare a commencé dès sa prime enfance :

> « Mon père était très occupé et ma mère devait souvent se faire hospitaliser. Ma grand-mère s'occupait de nous et je devais faire le ménage avant de partir à l'école. Pendant que tous les autres enfants s'amusaient, j'avais des tâches à effectuer dans la maison, si bien que je n'avais aucun ami ou camarade de jeu. J'avais l'impression qu'on me gâchait mon enfance et que ma

> grand-mère était trop stricte. Je suppose que je trouvais ça injuste. Lorsque la télévision s'est développée, tout le monde en avait une, sauf nous — Papa n'y croyait pas. Là aussi, je me sentais malchanceuse. »

Clare n'eut pas davantage de chance dans son métier et sa vie sentimentale. Désireuse de trouver un emploi satisfaisant, elle en essaya en tous genres, sans jamais vraiment les apprécier ni y réussir. Elle souhaitait aussi vivre une relation amoureuse tendre et solide. Elle épousa James, son premier mari, à l'âge de vingt ans, et ils eurent deux enfants. Quelques années plus tard, les choses se gâtèrent : James la maltraitait et couchait avec d'autres femmes. En 1988, il trouva subitement la mort dans un accident de parachutisme. Clare eut du mal pendant de nombreuses années à fréquenter d'autres hommes, mais elle finit par rencontrer Dick. Malheureusement, il était au chômage, si bien qu'elle dut travailler très dur pour assurer sa subsistance et celle de ses deux enfants. Il y a trois ans, il la quitta pour une autre. Après une autre plage de solitude, Clare rencontra Donald. Leur relation commença sous de bons auspices mais très vite, Donald se montra obsessionnel et caractériel. Ils sont restés amis, mais leur aventure amoureuse est terminée. Aujourd'hui, Clare est à nouveau seule et malheureuse.

Éric, cinquante et un ans, voit au contraire la chance lui sourire constamment, même si, comme Clare, il a essayé toutes sortes de métiers : garçon de bureau, mineur, chauffeur de taxi, croupier. Contrairement à elle, tous lui ont apporté des satisfactions :

> « Tous mes jobs m'ont beaucoup plu. La conduite automobile fait partie des plaisirs de ma vie et quand j'étais chauffeur de taxi, j'étais payé pour conduire quelqu'un d'autre dans une belle voiture. J'aime aussi jouer aux cartes. Quand je travaillais comme croupier dans un casino, je pouvais parier avec l'argent des

> autres, sans aucun risque. C'était parfait. Il n'y a pas un seul de mes emplois que je n'aie pas apprécié. »

Comme Clare, Éric souhaitait trouver le grand amour et fonder un ménage heureux. Contrairement à elle, tous ses rêves se sont réalisés. Lorsqu'il rencontra sa femme il y a quarante ans, il sut immédiatement qu'ils étaient faits l'un pour l'autre. Leur entente ne s'est jamais démentie, ils ont trois enfants et sept petits-enfants. Éric parle de son bonheur :

> « Nos petits-enfants sont un véritable enchantement, notre vie est si pleine que je ne cesse de répéter : "Impossible de rencontrer un homme plus chanceux que moi." On dirait vraiment qu'un ange gardien, à défaut d'un autre mot pour le décrire, veille sur moi. »

Clare et Éric représentent parfaitement nombre de mes sujets. À partir de besoins et de désirs identiques, les malchanceux voient leurs rêves demeurer au stade des fantasmes élusifs alors que les chanceux arrivent souvent à les concrétiser sans difficultés.

D'après mes travaux, les chanceux ne réalisent cependant pas leurs rêves et leurs ambitions uniquement par hasard. Pas davantage que le destin ne se ligue contre les malchanceux pour les empêcher d'obtenir ce qu'ils veulent. Non, c'est en raison d'une différence fondamentale de vision d'eux-mêmes et de la vie que chanceux et malchanceux concrétisent, ou ne concrétisent pas, leurs ambitions.

Sous-principe 1 : Les chanceux s'attendent à voir leur bonne fortune se poursuivre

Nous nourrissons tous des attentes à propos de l'avenir. Certains d'entre nous escomptent trouver le bonheur et être en bonne santé ; d'autres sont convaincus que l'avenir ne leur réserve que malheur et tristesse. Certains s'attendent à rencontrer le compagnon idéal ; d'autres à passer d'une relation ratée à une autre. Certaines personnes se convainquent

Exercice 9 : Attentes positives

Voici le questionnaire utilisé pour estimer les attentes positives des participants au programme sur la chance. Prenez le temps de le remplir et de comparer vos scores à ceux des chanceux, des malchanceux et des neutres.

En haut d'une page vierge de votre Journal, inscrivez le titre « Attentes positives ». Tracez une ligne verticale au centre de la page. Du côté gauche, inscrivez les lettres A à H dans une colonne. Lisez à présent chaque proposition du questionnaire et inscrivez une note entre 1 et 100 dans la colonne de droite, correspondant à vos chances de vivre cet événement dans l'avenir. 0 signifie qu'il ne se produira *jamais* et 100 que vous êtes persuadé qu'il va *effectivement* se produire.

Vous pouvez utiliser n'importe quel chiffre entre 0 et 100 mais n'oubliez pas qu'un chiffre *plus élevé* signifie que vous pensez que cet événement a *davantage* de probabilités de se produire et un chiffre *plus bas*, moins de probabilités.

Ne ruminez pas trop longtemps une question et soyez le plus sincère possible.

	Données	*Probabilités que cela vous arrive (0-100)*
A	Quelqu'un me dira que j'ai du talent.	
B	J'aurai l'air jeune pour mon âge quand je vieillirai.	
C	Mes prochaines vacances seront formidables.	
D	Je recevrai cent euros en cadeau.	
E	J'accomplirai au moins une de mes ambitions.	
F	Je développerai ou maintiendrai une bonne relation avec ma famille.	

G	Un ami lointain me rendra visite.
H	Ma réussite sera admirée.

Score :

Pour connaître votre score, il vous suffit d'additionner les chiffres que vous avez inscrits du côté droit de la page et de diviser le résultat par 8 (voir exemple ci-dessous).

	Données	*Probabilités que cela vous arrive (0-100)*
A	Quelqu'un me dira que j'ai du talent.	85
B	J'aurai l'air jeune pour mon âge quand je vieillirai.	20
C	Mes prochaines vacances seront formidables.	55
D	Je recevrai cent euros en cadeau.	40
E	J'accomplirai au moins une de mes ambitions.	80
F	Je développerai ou maintiendrai une bonne relation avec ma famille.	80
G	Un ami lointain me rendra visite.	95
H	Ma réussite sera admirée.	75
	Total	**530**
	Score (total divisé par 8)	**66,25**

J'ai fait remplir ce questionnaire à un grand nombre de sujets.

Les scores bas sont compris entre 0 et 45

Les scores moyens sont compris entre 46 et 74

Les scores élevés sont compris entre 75 et 100

qu'elles vont bien réussir dans leur métier; d'autres qu'elles resteront au bas de leur échelle professionnelle.

Je vais vous poser quelques questions à propos de votre avenir. Sur une échelle de 0 à 100 %, dans laquelle 0 % indique qu'un événement ne se produira jamais et 100 % qu'il aura certainement lieu, quelles sont vos chances de concrétiser une de vos ambitions? 20 %, 50 %, 70 % ? Et quelle est la probabilité que vous receviez cent euros en cadeau ou que vos prochaines vacances soient formidables? Ces questions, je les ai conçues au départ pour établir des comparaisons entre les attentes des chanceux et des malchanceux, ainsi qu'avec celles des personnes n'appartenant à aucune de ces catégories. Quelques-unes des réponses m'ont stupéfié.

Toutes les questions tournaient autour des probabilités qu'avaient mes sujets de vivre des événements positifs dans l'avenir. Certaines s'appliquaient à des événements d'ordre général, tel qu'accomplir une de leurs ambitions. D'autres étaient plus ciblées, puisqu'il s'agissait de savoir s'ils profiteraient pleinement de leurs prochaines vacances ou recevraient la visite imprévue d'un ami perdu de vue depuis longtemps. Certaines questions concernaient des événements qu'ils pouvaient largement contrôler, d'autres pas du tout, comme ces cent euros tombés du ciel.

Comme le montre le graphique ci-contre, les attentes des chanceux étaient très nettement supérieures à celles des malchanceux. En moyenne, les chanceux estimaient à 90 % qu'ils passeraient des vacances formidables, à 84 % qu'ils rempliraient une de leurs ambitions et à 70 % qu'ils recevraient cent euros. Toutes ces attentes dépassaient de loin celles des malchanceux. Et celles des chanceux ne se réduisaient pas à certains domaines. Ils étaient persuadés qu'ils vivraient des situations à la fois générales et spécifiques, contrôlables ou non. En fait, ils nourrissaient des attentes exceptionnelles, pour toutes les situations

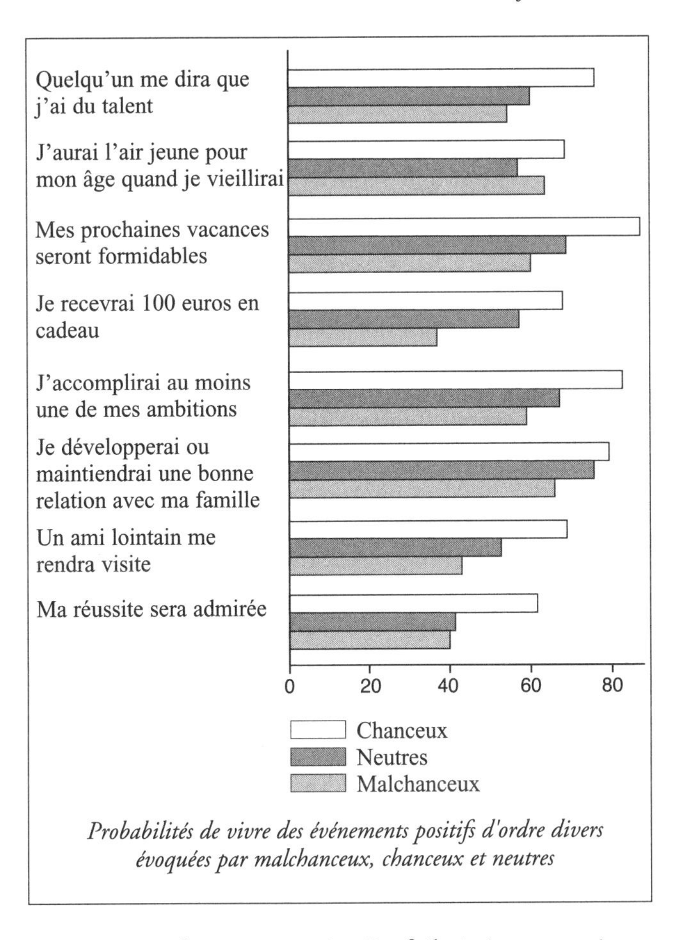

Probabilités de vivre des événements positifs d'ordre divers évoquées par malchanceux, chanceux et neutres

proposées par le questionnaire. Bref, ils étaient convaincus que leur avenir serait radieux.

Je voulais également étudier dans quelle mesure les chanceux et les malchanceux s'attendaient à vivre des événements négatifs. Je les ai donc tous interrogés à propos d'éventuels événements de ce type, tels qu'être victime d'un vol ou avoir des insomnies tous les jours de la semaine.

EXERCICE 10 : ATTENTES NÉGATIVES

Voici le questionnaire utilisé pour estimer les attentes négatives des participants au programme de la chance. Prenez le temps de le remplir et de comparer vos scores à ceux des chanceux, des malchanceux et des neutres.

En haut d'une page vierge de votre Journal, veuillez inscrire le titre « Attentes négatives ». Là encore, tracez une ligne verticale au centre de la page et, du côté gauche, inscrivez les lettres A à H dans une colonne. Lisez chaque proposition du questionnaire et inscrivez un chiffre de 0 à 100 dans la colonne de droite pour indiquer dans quelle mesure vous risquez de vivre cette situation à l'avenir. 0 signifie qu'elle ne se produira *jamais* et 100 qu'elle va *effectivement* se produire.

Vous pouvez utiliser n'importe quel chiffre entre 0 et 100 mais n'oubliez pas qu'un chiffre *plus élevé* signifie que vous pensez que cet événement a *davantage* de probabilités de se produire et un chiffre *plus bas, moins* de probabilités.

Ne ruminez pas trop longtemps une question et soyez le plus sincère possible.

	Propositions	*Probabilités que cela m'arrive (0-100)*
A	Devenir plus tard beaucoup trop gros.	
B	Avoir des insomnies chaque jour de la semaine.	
C	Se dire qu'on a choisi la mauvaise profession.	
D	Devenir alcoolique.	
E	Faire une dépression nerveuse.	
F	Faire une tentative de suicide.	
G	Être victime d'un vol.	
H	Contracter une méningite.	

Score :

Pour connaître votre score, il vous suffit d'additionner les chiffres que vous avez inscrits du côté droit de la page et de diviser le résultat par 8 (voir exemple ci-dessous).

	Propositions	*Probabilités que cela m'arrive (0-100)*
A	Devenir plus tard beaucoup trop gros.	15
B	Avoir des insomnies chaque jour de la semaine.	25
C	Se dire qu'on a choisi la mauvaise profession.	40
D	Devenir alcoolique.	2
E	Faire une dépression nerveuse.	3
F	Faire une tentative de suicide.	5
G	Être victime d'un vol.	30
H	Contracter une méningite.	5
	Total	**125**
	Score (total divisé par 8)	**15,625**

J'ai fait remplir ce questionnaire à un grand nombre de personnes.

Les scores bas se situent entre 1 et 10

Les scores moyens se situent entre 11 et 25

Les scores élevés se situent entre 26 et 100

Là encore, j'ai demandé aux participants de m'indiquer, sur une échelle de 0 à 100 %, dans quelle mesure ils estimaient vivre un jour chacune de ces situations. Une fois de plus, des différences marquées sont apparues entre les groupes. Cette fois, c'était au tour des malchanceux d'être convaincus de vivre de telles situations. Leur attente était supérieure à celle des chanceux pour toutes les propositions. Du suicide à l'insomnie, du mauvais choix de carrière à la prise de poids, les malchanceux étaient bien plus convaincus que les autres d'être un jour confrontés à ces problèmes.

Ce simple ensemble de questions révélait que les chanceux et les malchanceux ont une vision du monde fort différente. Dans l'esprit des premiers, l'avenir sera lumineux et fructueux. Dans celui des seconds, il sera terne et noir.

Au début de ce chapitre, je vous ai parlé de Clare, la malchanceuse, et d'Éric, le chanceux. Comme bien des participants à mes recherches, Clare et Éric nourrissaient des rêves et des ambitions identiques. Tous deux voulaient être heureux en amour et exercer un métier satisfaisant. Les rêves de Clare restèrent au stade du fantasme élusif, alors qu'Éric réalisa nombre des siens avec une aisance quasi magique.

Clare et Éric ont rempli les deux questionnaires sur les attentes qu'ils nourrissaient à propos de l'avenir. Clare s'est montrée convaincue que tous les événements négatifs lui tomberaient dessus alors qu'Éric était persuadé de vivre tous les événements positifs. Leur divergence de points de vue était stupéfiante. Clare disait qu'elle avait 60 % de chances de devenir une vieille dame beaucoup trop grosse, alors qu'Éric pensait qu'il ne prendrait jamais un gramme. Éric était tout à fait convaincu de passer des vacances merveilleuses alors que Clare estimait avoir 10 % de chances de s'amuser. Et ces niveaux d'attente différents se traduisaient également dans mes conversations

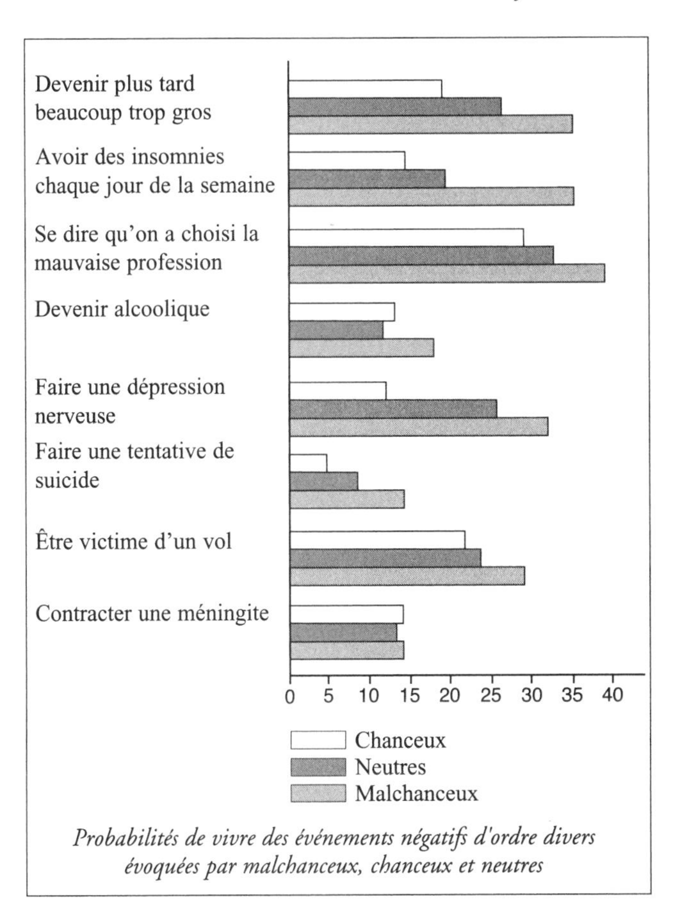

Probabilités de vivre des événements négatifs d'ordre divers évoquées par malchanceux, chanceux et neutres

avec eux. Comme beaucoup de malchanceux, Clare restait persuadée de l'être de naissance et pensait que l'avenir ne lui réservait que fatalité et tristesse :

« Un jour, je suis allée consulter une voyante et elle m'a dit que j'étais née du mauvais côté de la Vierge. Elle m'a appris que la Vierge est le seul signe astrologique possédant un bon et un mauvais côté et elle m'a

> précisé que j'étais née du côté négatif. Je pense que tout ce que je souhaite entreprendre ne réussira pas. Chaque fois que j'ai envie de jouer au loto, je me dis "De toute façon, tu ne gagneras pas". Au milieu des années 80, j'ai écrit deux livres et j'en écris actuellement un troisième. J'en ai commencé la rédaction il y a un an et demi mais cela fait un an que je n'y ai pas travaillé. J'espère le faire publier mais je doute de trouver un éditeur. De nos jours, ils sont rares. »

À l'inverse, Éric faisait preuve d'un grand dynamisme à propos de ce que lui réservait l'avenir :

> « Chaque fois que j'entreprends quelque chose, je me dis que tout va bien se passer. Je suis convaincu que tout marchera comme sur des roulettes. J'ai bien sûr eu des problèmes comme tout le monde, mais des choses positives sortent toujours des négatives et je m'en tire toujours avec le sourire. Certains ne réalisent pas leur chance. Ils regardent par la fenêtre et déclarent "Zut, il pleut", alors que moi, quand je vois la pluie tomber, je me dis : "Formidable, demain, mes fleurs seront sorties." »

Les attentes que se font les chanceux et les malchanceux de l'avenir divergent de façon stupéfiante. Les chanceux sont convaincus qu'ils ne vivront que bonheur et succès, et les malchanceux qu'échec et malheur. Ce sont ces attentes qui expliquent en grande partie pourquoi les uns réalisent leurs rêves sans aucun mal alors que les autres n'obtiennent que fort rarement ce qu'ils désirent de la vie. Avant que je vous explique l'impact capital qu'elle exerce, il est important de comprendre le pourquoi de cette attitude des uns et des autres.

Imaginez qu'il y a quelques semaines, vous avez envoyé votre candidature pour un poste dont vous rêvez et que vous venez de recevoir une lettre de convocation à un entretien. Après l'avoir ouverte, vous réfléchissez pendant quelques instants aux probabilités d'obtenir ce job. Vous vous demandez si vous êtes capable d'anticiper les questions qu'on va vous poser et si vous allez bien vous tirer de l'entretien. Ces questions ne seront probablement pas très compliquées. Vous savez si vous êtes doué pour préparer les entretiens, si vous détenez les connaissances nécessaires à ce poste et si vous présentez bien.

L'obtention de ce job dépend néanmoins de bien d'autres facteurs, beaucoup moins contrôlables. Un incident peut vous amener à arriver en retard à votre rendez-vous. Vous serez peut-être mal à l'aise parce que vous aurez été trempé par une averse subite. Vous ferez peut-être mauvaise impression en dérapant sur le tapis à votre entrée dans la pièce. Ce genre de petits ennuis relève de l'imprévisible. Il est impossible de savoir à l'avance s'ils arriveront ou non.

Imaginez à présent un monde dans lequel vous jouiriez d'une chance ou d'une malchance exceptionnelles. Si vous étiez chanceux, tous les événements de ce type joueraient en votre faveur. Vous arriveriez à temps, le soleil brillerait et le tapis ne gondolerait pas. Si vous étiez malchanceux, les nuages d'orage s'amoncelleraient et les bords de tous les tapis se dresseraient contre vous. En fait, les issues négatives de ces événements imprévus feraient partie des certitudes de votre vie.

Voilà l'une des raisons de la si grande divergence entre les attentes des chanceux et celles des malchanceux. Les premiers sont convaincus que ces événements imprévisibles et incontrôlables leur seront toujours bénéfiques et les seconds du contraire. Or, comme nous l'avons vu au chapitre 2, la chance se manifeste dans tous les domaines de la vie. Il ne s'agit pas simplement d'être chanceux ou malchanceux quand on passe un entretien pour obtenir un emploi. La chance intervient aussi dans la santé, la carrière, le bien-être matériel. Les chanceux sont convaincus que le soleil brillera toujours pour eux alors que les malchanceux n'attendent que sombres nuages dans leurs vies professionnelle et privée.

Il y a une deuxième raison à ces divergences. La plupart des êtres humains ont tendance à baser leurs expectatives sur ce que leur a apporté le passé. Lorsqu'on a joui d'une bonne santé, on s'attend davantage à ne pas tomber malade. Lorsqu'on s'est bien tiré d'entretiens d'embauche, on se dit qu'il n'y a aucune raison pour en rater un. Chanceux et malchanceux pratiquent ce genre de raisonnement. Les premiers pensent que si leur vol était à l'heure par le passé, il le sera aussi à l'avenir. Les seconds se disent que s'ils ont échoué à un entretien d'embauche, ils vont réitérer leur échec. Cependant, que se passe-t-il quand les chanceux jouent de malchance et quand les malchanceux voient la chance leur sourire? On peut imaginer qu'ils nourrissent alors des attentes un peu moins radicales à propos de l'avenir.

En fait, il n'en est rien. Car quelque chose de très étrange se produit alors. Les chanceux ne voient en un malheureux coup du sort qu'un événement passager. Ils s'en débarrassent d'un haussement d'épaules et ne le laissent pas influencer leurs attentes. Les malchanceux sont pour leur part convaincus que toute manifestation de la chance à leur égard ne peut être que temporaire et qu'elle sera bien vite suivie de leur déveine habituelle. J'ai demandé à Clare l'impact que pouvaient avoir des événements heureux sur ses attentes :

> « Je me dis que si quelque chose de bien m'arrive, une catastrophe suivra obligatoirement. S'il m'arrivait vraiment quelque chose de positif, j'éprouverais un grand choc, car je suis trop habituée à jouer de malchance. Sans doute que si je gagnais une grosse somme au loto je me dirais que quelqu'un va me voler ou qu'en fin de compte je n'ai pas vraiment gagné. On éprouve ce genre de sentiments quand on a toujours été malchanceux.

On considère qu'il est tout simplement impossible d'avoir de la chance. »

Ce point de vue est récurrent chez les malchanceux. Une autre m'a confié :

« On dirait presque que si les choses tournent rond pour moi, quelqu'un va surgir avec ses gros sabots et m'asséner un "Oh non, elle s'amuse trop", pour tout casser. Quand je commence à prendre du bon temps, un incident vient obligatoirement me démoraliser. Je ne cesse de me demander ce qui va se produire, ce qui m'attend au coin de la rue. J'imagine qu'il ne faudrait pas avoir ce genre d'attitude. Il faudrait se dire "C'est bien, espérons que ça va durer", mais je n'arrive pas à tenir ce genre de raisonnement. »

En résumé, les chanceux et les malchanceux nourrissent des attentes très radicales à propos de leur avenir parce qu'ils estiment que la chance exerce une influence sur tout, y compris sur des événements que la plupart d'entre nous considèrent comme totalement imprévisibles. Les malchanceux sont également convaincus que chaque petite manifestation de chance ne dure pas plus longtemps qu'un clin d'œil et qu'ils vont vite retrouver leur vie terne et misérable. Les chanceux rejettent tous les mauvais coups du sort. À leurs yeux, il ne s'agit que d'événements brefs et transitoires. Ce faisant, ils sont capables de continuer à attendre un avenir radieux.

De manière générale, nos attentes exercent une forte influence sur notre mode de pensée, nos sentiments et nos actes. Elles peuvent agir sur notre santé, notre attitude à l'égard des autres et la manière dont les autres se conduisent envers nous. D'après mes recherches, les attentes des chanceux et des malchanceux ont un impact capital sur leur vie. La vision que se font les chanceux de l'avenir explique pourquoi ils parviennent beaucoup plus efficacement que la plupart d'entre nous à atteindre leurs rêves et leurs ambitions. De la même manière, celle des malchanceux explique pourquoi ils ont particulièrement du mal à obtenir ce qu'ils veulent de la vie.

Tout se résume au fait que leurs attentes radicales à propos de l'avenir ont le pouvoir de se transformer en prédictions qui se réalisent.

Imaginez que vous êtes un peu déprimé parce que vous venez d'emménager dans un nouveau quartier et que vous avez du mal à nouer connaissance avec vos voisins. Pour vous amuser, vous décidez d'aller consulter une voyante, afin de savoir ce que le sort vous réserve. Elle vous annonce un tarif conséquent, regarde dans sa boule de cristal, sourit et vous dit que l'avenir lui paraît brillant. Elle vous assure qu'elle vous voit, d'ici quelques mois, entouré/e de nombreux amis proches et loyaux. Rassuré/e par ces prédictions, vous la quittez dans un état d'esprit plus positif. Comme vous éprouvez à nouveau bonheur et confiance, vous souriez davantage, sortez davantage et bavardez avec davantage de gens. Bref, vous adoptez un comportement qui multiplie vos chances de vous faire des amis. Au bout de quelques semaines, vous vous apercevez que vous vous êtes effectivement constitué un cercle de bons amis auxquels vous recommandez souvent cette voyante. En réalité, il est tout à fait possible qu'elle n'ait pas vraiment vu l'avenir mais qu'elle vous ait aidé/e à le créer. Ses commentaires ont modifié vos attentes dans le domaine de votre vie sociale, et du coup vous vous êtes comporté/e d'une manière qui augmentait vos chances de les concrétiser. Vos attentes se sont transformées en prédictions.

Des recherches ont démontré que ce genre de prédictions qui se réalisent ont le pouvoir d'affecter maints aspects de notre vie. Au cours d'une célèbre expérience, des psychologues ont dit à des professeurs de lycée américains que certains de leurs élèves étaient des « fleurs tardives » et que

Le pouvoir de l'attente

Nos attentes affectent de nombreux aspects de notre réflexion et de notre comportement. Prenez rapidement connaissance de la phrase suivante :

PARIS
AU
AU PRINTEMPS

La plupart des personnes lisent « Paris au printemps ». En fait, si vous y regardez à deux fois, la phrase exacte est « Paris au au printemps ». Comme nous ne nous attendons pas à voir deux *au* se suivre dans une phrase, nous avons tendance à lire ce que nous attendons plutôt que ce qui est écrit.

Une autre expérience ingénieuse démontre comment les attentes des individus peuvent même affecter leur temps de réaction. On a classé des sujets au hasard en deux groupes. On a demandé à ceux du premier groupe de presser un bouton dès qu'une lumière s'allumait. Le plus fort possible. Les autres devaient imaginer qu'ils étaient des pilotes de bombardier aux réactions très rapides. Puis on leur a demandé, comme au premier groupe, d'appuyer sur un bouton chaque fois qu'une lumière s'allumait. Les membres du second groupe ont réagi avec bien davantage de rapidité que ceux du premier. Ils s'attendaient à bien faire et leur comportement s'en ressentait !

ces enfants s'en sortiraient probablement bien plus tard. En fait, lesdits enfants ne présentaient rien de particulier : ils avaient été choisis au hasard. Au cours des mois suivants, on a étudié l'effet exercé par les attentes des professeurs sur ces enfants. Sans en avoir conscience, ils leur prodiguaient davantage d'encouragements et de louanges et les laissaient poser davantage de questions. Résultat : ces « fleurs tardives » sélectionnées au hasard ont obtenu des résultats scolaires beaucoup plus probants et des scores plus élevés que les autres enfants dans les tests d'intelligence. Les attentes qu'ils inspiraient à leurs professeurs avaient amené ces derniers à se conduire avec eux d'une manière qui les transformait.

Les prédictions qui se réalisent ne concernent pas seulement le niveau de réussite scolaire des enfants. Elles affectent notre santé, notre comportement sur notre lieu de travail, notre attitude envers les autres et leur réaction vis-à-vis de nous. En fait, elles influencent en permanence nombre des aspects de notre vie. Et mon travail a révélé que les attentes divergentes des chanceux et des malchanceux avaient le pouvoir de se transformer en prédictions qui se réalisent, expliquant pourquoi les uns concrétisent leurs rêves et les autres pas.

Sous-principe 2 : Les chanceux essaient de réaliser leurs objectifs, même si les probabilités d'y parvenir sont minces, et ils persévèrent face à l'échec

Abordons à présent l'une des manières les plus directes qu'ont les prédictions qui se réalisent d'exercer un impact sur la vie des chanceux et des malchanceux. Dans la section précédente, j'ai expliqué comment les malchanceux s'imaginent qu'elles ne leur réservent qu'échec et malheur. Ils sont persuadés de rater leurs examens ou de ne pas trouver le travail qui leur convient. Pire encore, ils pensent qu'il n'y a rien à faire pour modifier les événements négatifs qui vont leur tomber dessus. Ils sont convaincus de leur malchance et de toute façon persuadés qu'elle colle aux talons des malchanceux. Ces convictions les incitent parfois vite à perdre tout espoir et à baisser les bras, tout simplement.

Un exemple simple illustrera ce concept. Au début du livre, nous avons rencontré Lynne, Joe et Wendy, trois chanceux qui gagnent souvent des concours. Tous trois mettent le fait de gagner de nombreux prix au compte de la multiplication de leurs participations. Comme le dit Joe, « Il faut participer pour gagner ». Nombre de malchanceux déclarent ne jamais participer à des concours ni jouer au loto, car ils sont convaincus d'avance de ne pas gagner. L'un d'eux m'a dit :

> « Petit déjà, je ne me présentais à rien parce que je ne gagnais jamais. Je me souviens d'un jour où je me trouvais dans une assemblée de mon école élémentaire avec mes parents. Ma mère m'avait inscrit à un concours. Ils ont appelé le gagnant. C'était moi. Mais c'est maman qui m'avait inscrit, pas moi. À mes yeux, c'était elle, et pas moi, qui avait gagné. Aujourd'hui, je ne joue pas au loto parce que je ne gagne jamais. En fait si, je joue de temps en temps. Mais très, très rarement. Je perds toujours et je ne joue que pour une raison : me rappeler pourquoi je n'achète pas un billet chaque semaine. À la base, je suis malchanceux, donc je ne gagnerai jamais. »

Voici comment une étudiante malchanceuse qui avait échoué à de nombreux examens m'a décrit d'autres examens qu'elle devait passer plusieurs mois après :

> « Je suis persuadée que je vais les rater. Souvent, je suis vraiment en morceaux, je me dis : “À quoi bon faire ça, je vais échouer.” Il m'est arrivé de ne pas me présenter à certains examens parce que je pensais que ça ne servirait à rien. Je n'avais pas révisé du tout parce que j'étais convaincue que je ne les aurais pas. »

Un homme m'a pour sa part raconté comment il ne trouvait jamais de travail. Je lui ai demandé de me dire ce qu'il attendait de l'avenir.

> « Je sais que je ne décrocherai jamais un emploi, alors je n'essaie plus vraiment d'en trouver un. J'ai abandonné mes recherches. J'avais l'habitude de parcourir

> les annonces dans le journal toutes les semaines, mais à présent je me dis que ça ne sert à rien. Je ne trouverai jamais rien dans mes cordes, et à imaginer que cela m'arrive, les choses auront vite fait de foirer et ce sera terminé. C'est dû à ma malchance. C'est moi, tout simplement. »

Ces commentaires nous offrent un aperçu frappant de la manière dont les malchanceux créent la plus grande partie de leur malchance. S'ils ne passent pas un examen, ils ont la certitude de le rater. S'ils n'essaient pas de trouver un travail, ils resteront au chômage. S'ils répugnent à sortir, ils réduisent d'autant leurs chances de trouver un/e partenaire. Ils illustrent également le pouvoir des prédictions qui se réalisent. Les malchanceux sont tellement convaincus qu'ils vont échouer que souvent ils n'essaient même pas d'atteindre leurs objectifs, ce qui transforme ensuite leurs attentes en réalité.

À un moment donné de mes recherches, j'ai effectué une expérience simple sur des chanceux et des malchanceux, afin de voir dans quelle mesure leurs attentes influencent leurs tentatives d'atteindre un objectif. Je leur ai montré deux puzzles identiques. Chaque puzzle était constitué de deux morceaux de métal insérés l'un dans l'autre. Je leur ai expliqué qu'il était possible de détacher les pièces de l'un, mais pas de l'autre, mais sans leur préciser duquel. Puis je leur ai dit que j'avais choisi celui qu'ils devraient résoudre à pile ou face et je leur en ai tendu un. En réalité, j'ai donné le même puzzle à tout le monde. Je leur ai demandé de le regarder et de me dire s'ils pensaient ou non en trouver la solution. Les résultats ont été frappants. Plus de 60 % des malchanceux ont affirmé qu'il était impossible de détacher les morceaux, contre 30 % de chanceux. Comme dans bien des domaines de leur vie, les malchanceux avaient abandonné avant même de commencer.

J'étais curieux de savoir comment les attentes des chanceux influencent leur comportement. Il me semblait possible, s'ils étaient convaincus de bien se tirer d'un entretien d'embauche, qu'ils se montrent trop confiants et ne prennent pas le temps de le préparer à fond. Or je n'ai trouvé aucune preuve pour corroborer cette idée. Les attentes qu'ils se font de l'avenir n'encouragent pas les chanceux à adopter une conduite risquée. Bien au contraire. Elles les incitent à contrôler leur vie. Ils essaient de concrétiser leurs désirs, même lorsque les probabilités de réussite sont fort basses.

C'est à ce simple concept que je dois une des ouvertures les plus heureuses de ma carrière. Peu après avoir commencé mon premier travail universitaire, j'ai reçu un e-mail qui a changé ma vie. Il avait été envoyé à presque tous les universitaires britanniques. Il venait d'un groupe de producteurs de télévision, désireux de promouvoir la science en organisant une expérience scientifique à grande échelle à laquelle pourraient participer des membres du public. Cette expérience serait menée conjointement par la BBC et le *Daily Telegraph* et atteindrait un public de dix-huit millions de personnes. L'e-mail demandait aux universitaires d'envoyer des idées sur le genre d'expériences qu'ils aimeraient voir effectuer. J'ai tout de suite pensé qu'il serait passionnant de détecter le mensonge à une large échelle. J'ai gribouillé en hâte un petit mot dans lequel j'expliquais qu'on pouvait présenter aux téléspectateurs un petit film montrant des gens disant la vérité et d'autres mentant et leur demander de téléphoner ensuite pour dire s'ils croyaient ou non à la sincérité de ces personnes. Je me suis également dit qu'il serait intéressant de publier des transcriptions de ce film dans le journal et de demander aux lecteurs de répondre à la même question. J'ai failli ne pas envoyer mon idée, car je pensais qu'elle avait fort peu de chances d'être choisie, vu le nombre d'universitaires qui feraient d'autres propositions.

La chance, les prédictions qui se réalisent et la santé

Parfois, les prédictions qui se réalisent exercent un gros impact sur un autre aspect de la vie des chanceux et des malchanceux, à savoir leur bien-être physique. Un peu plus tôt dans ce chapitre, notre sondage a montré que les malchanceux s'attendent à souffrir d'une palette de problèmes physiques, dont la surcharge pondérale, l'insomnie et l'alcoolisme. Pire encore, ils sont souvent convaincus qu'ils ne peuvent rien y faire. Ils sont nés malchanceux et par conséquent voués, dans leur esprit, à être en mauvaise santé et à tout rater. À l'inverse, les chanceux s'attendent à jouir d'une santé florissante et à connaître la réussite. Comme dans bien d'autres domaines, ils sont persuadés que la chance leur sourira.

De nombreuses recherches ont démontré que ce genre d'attente peut exercer un impact significatif sur le bien-être des gens. De même que les malchanceux ne se rendent pas à leurs examens parce qu'ils sont certains de les rater ou ne font pas d'efforts pour trouver un travail parce qu'ils sont persuadés de revenir bredouilles, ceux qui sont convaincus qu'ils vont être malades ne voient aucune raison de ménager leur santé. Ils n'essaient pas d'arrêter de fumer. Souvent, ils ne font pas l'effort de faire de l'exercice ou de suivre une alimentation équilibrée. Ils ne prennent pas davantage de soins préventifs qu'ils ne se rendent chez un médecin lorsqu'ils sont souffrants. Convaincus qu'ils vont être malades, ils le sont aussi que rien ne pourra changer leur état. Mais ceux qui voient l'avenir beaucoup plus en rose? Leurs attentes positives ne les incitent-elles pas à se conduire de manière risquée? Ils sont peut-être tellement persuadés de ne jamais avoir un cancer qu'ils fument tranquillement à la chaîne sans se soucier des conséquences. Ou tellement convaincus de ne pas attraper de maladies sexuellement transmissibles qu'ils ont des relations sexuelles sans se protéger. Des recherches prouvent qu'il n'en est absolument rien. Les individus ayant des attentes plus positives s'appliquent en général à mener un mode de vie sain. Ils font davantage d'exercice, se nourrissent correctement, prennent les mesures préventives adéquates et font attention aux avis médicaux.

L'impact exercé par ces convictions et ces comportements est souvent loin d'être anodin. Les chercheurs de Finnish ont classé plus de deux mille hommes en trois groupes : un groupe « négatif » qui voyait le futur en noir, un groupe « positif » qui le voyait beaucoup plus rose et un groupe « neutre » qui ne s'attendait à rien de particulièrement négatif ou positif. Ils ont suivi ces groupes pendant plus de six ans et ont découvert que les membres du groupe négatif étaient beaucoup plus enclins à décéder de cancers, de maladies cardio-vasculaires et d'accidents que ceux du groupe neutre. A contrario, ceux appartenant au groupe positif avait un taux de mortalité bien moindre que ceux des deux autres groupes.

Dans le chapitre 3, nous avons constaté que les malchanceux sont beaucoup plus inquiets que les chanceux et les neutres. Cette différence d'attitude peut également déboucher sur des prédictions qui se réalisent, lesquelles exercent à leur tour un impact significatif sur le bien-être des uns et des autres. Des recherches ont démontré que les individus particulièrement anxieux sont sujets aux accidents, à la fois chez eux et sur leur lieu de travail. Ils ont du mal à se focaliser sur leur activité du moment, parce qu'ils pensent à leurs soucis et leurs problèmes au lieu de se concentrer sur leur environnement. On ne s'étonnera donc pas que les malchanceux racontent qu'ils ont souvent des accidents. En outre, d'autres recherches ont montré que ce type d'inquiétude peut exercer un effet sur notre système immunitaire et abaisser nos défenses contre les maladies. Bref, l'attente que se font les malchanceux du futur peut les amener à être inquiets, inquiétude qui provoque une quantité d'accidents et de troubles de la santé supérieure à la normale. Les chanceux sont à l'opposé. Leur beaucoup plus grande décontraction à l'égard de la vie les rend bien moins sujets aux accidents et aux maladies reliées au stress.

Outre leur niveau d'anxiété générale élevé, beaucoup de malchanceux souffrent de formes d'angoisse plus précises à certains stades de leur vie en raison de leurs convictions. Selon un article récent publié par le *British Medical Journal,* les Américains d'origine chinoise et japonaise ont 7 % de risques supplémentaires que les autres de mourir d'une maladie cardiaque chronique le 4 juillet. Chinois et Japonais considérant le chiffre 4 comme néfaste, les chercheurs en ont conclu que la mortalité par crise cardiaque augmente dans les conditions de stress psychologique. Ils ont baptisé cet effet du nom de Charles Baskerville, le personnage du roman de Conan Doyle *Le Chien des Baskerville,* qui succombe à une crise cardiaque provoquée par un stress épouvantable.

Je ne dis pas que l'attitude des chanceux et des malchanceux à l'égard de la vie dicte complètement leur bien-être. Certains types de maladies n'ont aucun lien avec nos convictions et notre comportement. Il se trouve toutefois que l'idée qu'ils se font du mauvais sort ou de la bonne fortune que l'avenir leur réserve peut exercer un impact d'une importance vitale sur de nombreux aspects de leur vie.

Après réflexion, je me suis simplement dit que je ne risquais pas de gagner si je ne participais pas et j'ai donc envoyé mon idée en e-mail. Quelques semaines plus tard, j'ai eu la joie d'apprendre que c'était ma proposition qui avait été retenue.

Mon expérience a été menée en direct sur la BBC et publiée dans le *Daily Telegraph.* Nous avons eu des milliers de réponses et l'émission a remporté un grand succès. J'ai ensuite publié les résultats dans l'une des plus célèbres revues scientifiques au monde, et la BBC m'a réinvité, année après année, à mettre sur pied des expériences à vaste échelle. Tout cela parce que je m'étais décidé à proposer mon idée, malgré les très faibles chances de succès.

Les grandes attentes des chanceux les incitent souvent à faire preuve de persévérance, y compris face à une adversité considérable. En début de chapitre, nous avons rencontré Éric. Il a réalisé un grand nombre de ses objectifs, dont vivre une relation amoureuse, avoir une vie de famille heureuse et trouver le travail qui lui plaît. Il souligne à quel point il cherche toujours activement à concrétiser ses ambitions :

> « C'est notre attitude qui crée notre propre chance. Si on reste chez soi à se tourner les pouces, on peut toujours attendre ! Mais si on sort, si on se décarcasse, les choses viendront à nous. Je crois fermement que je suis chanceux. Parfois, la situation a l'air un peu terne, mais je sais que tout ira bien. Du moment qu'on continue à se battre... du moment qu'on continue à réfléchir au problème pour trouver un moyen de s'en sortir, on s'aperçoit que le petit bout de chance nécessaire va se présenter et on franchit de force l'obstacle qui se dresse devant nous. »

Bien des participants chanceux ont exprimé des points de vue similaires, dont Marvin, un détective privé de trente-trois ans. Marvin mène une vie éclairée par la chance et a toujours réussi à satisfaire ses ambitions, y compris quand les cartes jouaient vraiment en sa défaveur. Il attribue une large part de sa chance à ses attentes positives et souligne l'importance des efforts accomplis pour obtenir ce que l'on souhaite de la vie :

> « Je sais, tout simplement, qu'au bout du compte, tout s'arrangera. Je sais que je vais gagner au loto. Peut-être pas 10 millions d'euros, mais une somme importante, je le sais. Ça ne fait aucun pli. Mais il faut essayer. Si vous n'achetez pas de billet, vous ne gagnerez pas. C'est comme ça dans tous les domaines. Si vous vous attendez à être chanceux, vous le serez. Ma mère et mon père ont eu une grande influence sur moi : j'ai grandi en sachant qu'on peut arriver à ses fins si on croit assez en soi et si on est positif. Je n'aime pas la compagnie de gens malchanceux. Je déteste ça. On

> entre dans une pièce et ils sont là à se plaindre. Ils vous démoralisent au point qu'on éprouve les mêmes sentiments qu'eux. C'est contagieux. Quand vous êtes dans une pièce avec des gens qui se sentent chanceux, ça déteint sur vous. »

La persévérance de Marvin a certainement payé. Bien qu'ayant échoué à son examen de menuiserie, il posa sa candidature pour un poste de charpentier dans un grand chantier naval. Il se rendit à son entretien, plein de confiance et d'énergie. Conquis par son enthousiasme, la personne qui le recevait lui offrit le poste. Plus tard, il eut envie de devenir détective privé. Bien que n'ayant aucune formation ni aucune expérience dans ce domaine, il écrivit à toutes les agences de détectives privés de sa région. Il ne reçut pas la moindre réponse. Au lieu d'abandonner, il revêtit son plus beau costume et se présenta en personne dans l'une des agences les plus importantes. Le chef de l'agence se trouvait dans le hall à son entrée et ils entamèrent une conversation. Il fut séduit par Marvin et lui offrit de l'engager. Quelques heures plus tard, Marvin ressortit avec un papier à lettres à en-tête, des cartes professionnelles et le travail dont il rêvait.

J'ai effectué une autre expérience destinée à mesurer l'impact exercé par les attentes des chanceux et des malchanceux sur leur persévérance à résoudre un puzzle compliqué. Elle s'est déroulée dans le cadre d'un programme télévisé. J'ai d'abord prié mes sujets de venir me rendre visite dans mon laboratoire, un par un. Je leur ai montré un énorme puzzle que la télévision avait conçu exprès pour cette expérience. Une série de formes qui s'encastraient pour composer un énorme cube. Je leur ai dit qu'après leur départ, je démonterais ce cube et qu'ils reviendraient ensuite un par un dans le laboratoire pour le remonter. Ils pourraient prendre autant de temps qu'ils le voulaient. Mais en réalité, il était presque impossible de trouver la solution. La question était de savoir combien de temps ils persévéreraient.

Trois chanceux et trois malchanceux ont participé à l'expérience. J'ai déjà mentionné deux d'entre eux — Roy et Karen — à la fin du chapitre 3, parce qu'ils ont aussi participé à l'expérience destinée à montrer comment les chanceux et les malchanceux saisissaient les occasions fortuites. Durant cette expérience, Roy, le millionnaire chanceux, avait trouvé le billet de cinq livres que nous avions posé sur le sol et entamé une conversation avec l'homme d'affaires florissant dans le café. Mais comment s'en tirerait-il avec un puzzle compliqué? Karen, la malchanceuse, n'avait pas davantage remarqué le billet de cinq livres que conversé avec quiconque dans le café. Combien de temps allait-elle persévérer devant ce cube en apparence insoluble? Quatre autres participants se sont joints à eux. Chris, malchanceux, avait la réputation d'être prédisposé aux accidents et se voyait poursuivi par la poisse chaque fois qu'il prenait des vacances. Selina, une séduisante danseuse de night-club, était malchanceuse en amour. Elle avait eu beaucoup de liaisons sans trouver le compagnon idéal. Alan, un alpiniste professionnel, avait eu la chance d'échapper à de nombreuses avalanches et chutes lors d'expéditions en montagne à travers le monde. Brian, chanceux lui aussi, avait remporté deux fois de très grosses sommes d'argent au jeu de la boule.

Sur une télévision en circuit fermé, je les ai tous regardés s'attaquer au puzzle. Le premier était Roy, le gagnant du loto. Comme il était chanceux, je m'attendais à ce qu'il n'abandonne pas facilement la partie. En fait, il est entré dans le laboratoire, a compté le nombre de pièces, décidé qu'il en manquait une et déclaré que cela ne servait à rien d'insister puisque ce puzzle ne pouvait pas être complété! Roy était sans doute un peu rouillé dans le domaine de la construction, parce qu'il avait compté de travers et avait tort de penser que la tâche était impossible. La vérification de ma théorie commençait mal. Heureusement, tous les autres ont confirmé mes prédictions. Chris, Selina et Karen, les malchanceux, ont tous abandonné au bout de vingt minutes, alors que Alan et Brian se sont escrimés beaucoup plus longtemps. En fait, plus d'une demi-heure s'était écoulée et il était clair que ni l'un ni l'autre n'avait l'intention de baisser les bras. Je suis entré dans le laboratoire pour leur demander s'ils voulaient arrêter. Tous les deux m'ont réclamé davantage de temps. J'ai fini par décider de mettre un terme à leurs efforts, tout en leur demandant combien de temps ils auraient persisté. Tous deux m'ont répondu qu'ils n'auraient pas lâché prise avant d'avoir terminé le puzzle, quel que soit le temps nécessaire pour parvenir à leurs fins.

J'étais donc parvenu à démontrer que les attentes des chanceux et des malchanceux expliquent en grande partie pourquoi ils réalisent ou ne parviennent pas à réaliser nombre de leurs ambitions et objectifs. Les malchanceux, s'attendant à ce que les choses tournent mal, abandonnent donc avant de commencer et insistent rarement face à l'échec. Les chanceux, s'attendant à ce que tout fonctionne, sont bien plus susceptibles d'essayer d'atteindre leurs buts, même si les chances sont minces, et beaucoup plus enclins à persévérer. Nombre des événements en apparence chanceux ou malchanceux de leurs vies respectives proviennent donc de cette différence d'attitude. On peut attribuer à cette dernière le fait qu'ils gagnent ou perdent des concours, passent ou ratent des examens importants, réussissent ou échouent à trouver un/e compagnon/compagne aimant/e.

Sous-principe 3 : Les chanceux s'attendent à avoir des interactions positives et fructueuses avec les autres

Jusqu'ici, j'ai décrit l'impact exercé par les attentes extrêmes des chanceux et des malchanceux sur leurs pensées, leurs sentiments et leur comportement. J'ai évoqué pourquoi les chanceux sont beaucoup plus susceptibles d'atteindre leurs buts et de persévérer face à l'échec. Mais pour compléter le puzzle, je dois inclure la dernière pièce. Il s'agit de la manière dont ils se comportent à l'égard des autres et de la réaction de ces derniers.

Un exemple simple illustrera une fois de plus cette idée de base. Imaginons que vous avez un rendez-vous galant. Vous avez accepté de rencontrer un homme ou une femme dans un restaurant. Vous ne connaissez pas cette personne, mais l'ami qui s'est chargé de mettre ce rendez-vous au point vous a dit qu'elle était aimable, amicale et dynamique. Analysons comment, à partir de ces informations, votre attente peut influencer votre comportement. Mais plutôt que de nous pencher sur l'ensemble de la soirée, focalisons-nous sur le moment de la rencontre. En fait, concentrons-nous sur les premières secondes de votre interaction.

Imaginez que vous entrez dans le restaurant, repérez la table et vous asseyez face à cette personne. Plusieurs choses se passent alors à une vitesse sidérante. Pour commencer, comme vous vous attendez à ce qu'elle soit amicale, vous vous sentez en confiance et vous souriez. Deuxièmement cette personne, à la vue de votre sourire, en conclut à raison que vous êtes heureux de la voir. Troisièmement, elle éprouve un sentiment plus positif à votre égard puisque vous semblez bien disposé envers elle. Quatrièmement, ce sentiment la pousse à vous rendre votre sourire. Cinquièmement, son sourire vous renforce dans l'idée qu'il s'agit effectivement d'une personne affable. Toutes ces réactions se sont produites en quelques secondes, sans que vous y ayez ni l'un ni l'autre réfléchi et sans que vous ayez prononcé une seule parole.

Cet exemple très simple démontre comment nos attentes peuvent nous amener à interagir avec les autres de telle sorte qu'elles se transforment en réalité.

On peut facilement imaginer un tout autre déroulement de la rencontre. Imaginez qu'on vous ait dit que cette personne avait la réputation d'être plutôt renfermée. Dans ce cas, vous pourriez ne pas avoir attendu votre rendez-vous avec impatience et y être arrivé le visage fermé. Résultat, elle ne vous aurait pas souri, si bien que vous en auriez conclu qu'elle était effectivement peu ouverte. Nous voyons donc bien comment nos attentes influencent notre comportement à l'égard des autres et la manière dont ils y réagissent. Nous ne nous contentons pas de nourrir des attentes à leur propos, mais ces attentes peuvent en fait les amener à se conformer à elles. L'effet de ces prédictions qui se réalisent va loin, bien au-delà du premier sourire que nous accordons ou non à quelqu'un dont nous faisons connaissance.

Revenons sur quelques minutes supplémentaires de ce rendez-vous. Après ce premier échange de sourires, vous entamez une conversation. On vous a donc prévenu que cette personne est dynamique et extravertie. Là encore, votre attente va influencer votre attitude. Vous lui demanderez peut-être si elle a assisté récemment à des soirées ou si elle aime la conversation. Votre attitude influencera la sienne. Ce genre de question l'incitera à parler réceptions et contacts humains et la découragera de vous dire qu'en fait, elle apprécie la lecture et la solitude. Une fois de plus, votre attente aura augmenté la probabilité que cette personne adopte une conduite conforme à vous.

Les interactions des chanceux et des malchanceux avec les autres se déroulent selon le même processus. Les chanceux s'attendent à rencontrer des personnes positives, intéressantes et divertissantes. Les malchanceux pensent à l'inverse n'être voués qu'à faire connaissance avec des personnes démoralisées, tristes et ennuyeuses. Ces attentes opposées ont un impact sur les réactions des autres à leur égard, et au bout du compte dictent en grande partie dans quelle mesure ils seront heureux et satisfaits de leurs vies professionnelle et privée.

Sur leur lieu de travail, les chanceux sont persuadés que leurs collègues seront productifs et compétents et s'attendent à tirer profit de leurs réunions. De leur côté, les malchanceux n'escomptent pas davantage de compétence particulière de leurs collègues ou clients qu'ils ne pensent entretenir avec eux des relations particulièrement fructueuses. Il a été prouvé qu'en matière d'affaires, ces attentes différentes jouent un grand rôle.

Dans une étude, on a demandé à des interviewers d'accorder une note à des formulaires de candidature remplis par des demandeurs d'emploi. On a filmé leur entretien avec chaque candidat. Quand ils attendaient beaucoup de lui, ils l'accueillaient à bras ouverts, lui donnaient davantage d'informations sur le poste et s'exprimaient sans détours. Dans le cas inverse, ils adoptaient, à leur insu, une attitude beaucoup moins affable. Ils se montraient peu loquaces sur le poste proposé et avaient tendance à le décourager bien davantage. Du coup, les candidats ne se conduisaient pas de la même façon. Ceux qui avaient devant eux un interviewer positif établissaient un meilleur contact avec lui, riaient davantage et se montraient sous un jour plus flatteur. En résumé, les attentes de l'interviewer affectaient le comportement des candidats. Les attentes positives les aidaient à sortir le meilleur d'eux-mêmes; les négatives les montraient sous leur jour le moins flatteur.

Il a été maintes fois démontré que les attentes d'un directeur exercent de profondes répercussions sur la productivité de son personnel. Les directeurs qui escomptent beaucoup de leur entourage parviennent à le motiver pour qu'il obtienne de bons résultats, tandis que les autres le rendent dépendant et improductif. Dans le monde du travail, les attentes ont partout le pouvoir de se transformer en prédictions qui se réalisent.

Les effets de ces prédictions sont loin de se limiter au monde des affaires. Dans une autre étude, on a demandé à des hommes de s'entretenir pendant dix minutes au téléphone avec une inconnue dont on leur avait montré la photo. En fait, deux photos ont été utilisées. Aux uns, on a montré celle d'une femme très séduisante ; aux autres, celle d'une femme peu gâtée par la nature. En réalité, ils ont tous conversé avec la même femme. Résultat : ceux qui croyaient s'adresser à la femme séduisante se sont montrés beaucoup plus ouverts et affables que ceux qui pensaient parler à la femme laide. Mais les choses ne se sont pas arrêtées là : leur attitude a rejailli sur le comportement de leur interlocutrice. Dans un second temps, on leur a fait écouter la partie de la conversation où n'intervenait que la femme et on leur a demandé de la décrire physiquement. Ils ont en général dressé un portrait d'elle séduisant quand elle parlait à un interlocuteur qui l'imaginait séduisante, et peu flatteur quand elle parlait à un homme qui la croyait laide. Leurs attentes les amenaient à s'exprimer sur un ton qui, à son tour, incitait cette femme à réagir d'une manière qui les concrétisait.

De même que, dans cette expérience, l'attente des sujets influençait leur façon de parler à l'inconnue et celle dont elle leur répondait, les attentes radicales des chanceux et des malchanceux exercent un impact sur leurs interactions.

Prenons Jill, par exemple, une jeune femme de vingt-trois ans au chômage du nord de la Californie. Malchanceuse dans bien des domaines, Jill l'était surtout dans ses entretiens d'embauche :

« J'ai toujours joué de malchance. J'ai essayé de trouver un emploi convenable, de gagner ma vie et de me hisser socialement. Mais comme l'économie allait mal, personne n'engageait personne quand je suis sortie de l'université l'année dernière. Cette année, j'ai vraiment cherché, j'ai fait de véritables efforts. J'ai conscience que je pourrais être un véritable atout pour une entreprise, je travaille dur. Je sais que je suis intelligente, que j'ai beaucoup à offrir et à dire, que j'ai un très bon contact. J'ai passé environ vingt-cinq entretiens d'embauche, dans la vente, le marketing, les RP, mais on ne m'a jamais rien proposé. J'ai été rejetée des milliers de fois. Parfois, j'ai l'impression que les choses ne s'arrangeront jamais, qu'elles sont fixées une bonne fois pour toutes. Pour la bonne raison que de toute façon, rien ne marche jamais bien pour moi. À présent, je me sens vraiment malchanceuse et je suis convaincue que je ne trouverai jamais un emploi. Cette certitude affecte mon comportement lors des entretiens d'embauche. J'en arrive à me demander ce que je fais là, puisque de toute façon on ne va pas m'engager. Puis je me dis que je dois faire beaucoup plus d'efforts que la personne qui vient de passer avant moi. Cela me stresse et je n'arrive pas à cacher ma nervosité. Je ne dis pas ce qu'il faudrait, ou alors je sais ce que je dois dire, mais les mots ne sortent pas parce que je suis beaucoup trop tendue. »

Les chanceux ont une attitude tout à fait inverse. Ils ne tarissaient pas de commentaires positifs à propos de leur carrière, précisant qu'ils attendaient beaucoup de leurs collègues, clients et personnel. Prenons l'exemple de Lee. J'ai déjà beaucoup évoqué sa chance. Il échappa à plusieurs accidents et rencontra sa femme par hasard. Mais elle se manifeste surtout dans sa profession de directeur des ventes et du marketing qui lui a valu de nombreuses récompenses et félicitations. Dans le chapitre précédent, je vous ai expliqué qu'il en attribue une grande partie à son intuition. Mais ce n'est pas tout. Il escompte également beaucoup de l'avenir, à l'aide d'une technique qu'il qualifie de « désirs rêvés ».

> « Quand je désire quelque chose, j'en rêve. Je le faisais à l'époque où je participais à des concours de vente. Je rêvais que je gagnais, que je recevais le prix et le reste. Je faisais ça la nuit dans mon lit, je continue à le faire aujourd'hui, et pas seulement quand je me détends. Cela m'arrive aussi pendant la journée... Je ne cessais de me répéter que j'allais gagner et réussir. J'y réfléchissais et j'y rêvais à fond. Même quand il s'agissait d'un objectif à atteindre six mois plus tard, j'en rêvais. Je planifie mes conversations téléphoniques avant de soulever le combiné. Je m'assois et je me concentre sur la personne à laquelle je vais parler, pour qu'elle soit positive avec moi. Que je la connaisse ou pas, j'essaie de toutes mes forces d'imaginer ce qu'il ou elle va me dire de bien. Dans de nombreux cours de formation, j'ai évoqué ces désirs rêvés et les gens m'ont ri au nez, comme si j'étais cinglé! Mais quand j'ai mis ma théorie en pratique, mes chiffres de ventes ont commencé à grimper, alors je continue à le faire. J'ai obtenu tellement de bonnes réactions, ma réussite a été si grande que je suis persuadé que mon attitude y est pour quelque chose. »

Les « désirs rêvés » de Lee l'aident à imaginer comment les autres adopteront une conduite positive à son égard. Ces attentes se transforment souvent en prédictions qui se réalisent, si bien que ses ambitions et ses rêves s'accomplissent.

Les chanceux m'ont également dit s'attendre à rencontrer des personnes intéressantes, divertissantes et séduisantes dans leur vie privée, et à bien s'entendre avec elles. L'exemple le plus frappant en est peut-être celui d'Andrew, un administrateur californien de vingt-quatre ans. Il m'a décrit sa « vie de rêve » :

> « C'est bizarre. Tout a toujours joué en ma faveur. C'est merveilleux parce que je sais que, partout où je vais, je trouverai un travail et un endroit pour vivre, car ça s'est toujours passé comme ça. Ça m'a procuré une confiance sidérante et la possibilité de voyager. Une liberté totale. Je peux plier bagage sur une impulsion, aller n'importe où, m'installer en sachant qu'il me suffit de sortir et de parler aux gens. Partout où j'irai, je trouverai un emploi. D'un simple claquement de doigts. Depuis l'âge de 16 ans, il m'a toujours suffi d'entrer quelque part pour être embauché sur-le-champ.
>
> « Une grande partie de ma chance se manifeste dans ma vie sentimentale. J'ai commencé à sortir avec des filles vers l'âge de quinze ans. Je suis pas mal physiquement mais je n'ai rien d'un Apollon. Et pourtant, j'arrive à rencontrer des filles qui devraient me rester inaccessibles. Il me suffit d'engager une conversation, parfois avec des femmes qui n'appartiennent pas du tout à mon milieu. Je n'ai jamais le moindre problème, elles sympathisent toujours avec moi et la plupart sont prêtes à sortir avec moi. J'ai une chance inouïe de ce point de vue. J'ai eu des liaisons avec des femmes sortant vraiment de l'ordinaire, réputées pour leur dynamisme, leur réussite, leur pouvoir, leur beauté. Je viens de me fiancer à une pure merveille. Il n'y a aucune raison pour qu'un type comme moi sorte avec une fille comme elle ! »

Andrew semblait manifestement posséder un don magique pour nouer sur-le-champ des liens forts et positifs avec les personnes qu'il rencontrait. Je lui ai demandé ce qu'il attendait d'elles. Comme beaucoup de chanceux, il m'a répondu qu'il imaginait ces personnes ouvertes,

EXERCICE 11 : VOTRE PROFIL CHANCE : TROISIÈME PRINCIPE

Souvenez-vous du Questionnaire profil que vous avez rempli en page 18. Les critères 6, 7 et 8 de ce questionnaire se rapportent aux sous-principes évoqués dans ce chapitre. Le critère 6 vous demande dans quelle mesure vous attendez un avenir radieux, le critère 7 si, sachant que les probabilités d'y parvenir sont minces, vous essaierez d'obtenir ce que vous voulez de la vie. Quant au critère 8, il concerne votre attitude dans vos relations avec les autres.

Score

Revenez aux notes que vous avez accordées à ces trois critères puis additionnez ces chiffres pour obtenir un score unique (voir exemple ci-dessous). Il s'agit de votre score au troisième principe de la chance.

	Données	*Votre note (1-5)*
6	D'une manière générale, je m'attends à ce que l'avenir me réserve des choses positives.	3
7	J'essaie de concrétiser mes désirs, même si les probabilités d'y parvenir sont minces.	4
8	Je me dis que la plupart des personnes que je vais rencontrer seront agréables, amicales et obligeantes.	4
	Total du troisième principe de la chance	11

Consultez à présent l'échelle ci-dessous pour découvrir si votre score est élevé, moyen ou bas. Notez-le, ainsi que votre catégorie, dans votre Journal de Chance, car ils auront de l'importance quand nous évoquerons les manières de développer votre chance.

Scores bas	Moyens	Élevés
3 4 5 6 7 8 9	10 11	12 13 14 15
	X	

11 moyen

J'ai fait remplir ce Questionnaire profil à beaucoup de chanceux, neutres et malchanceux. Les chanceux obtiennent en général des scores beaucoup plus élevés que les autres sur ces trois critères. Les malchanceux obtiennent les scores les plus bas (voir graphique ci-dessous).

D'une manière générale, je m'attends à ce que l'avenir me réserve des choses positives

J'essaie de concrétiser mes désirs, même si les probabilités d'y parvenir sont minces

Je me dis que la plupart des personnes que je vais rencontrer seront agréables, amicales et obligeantes

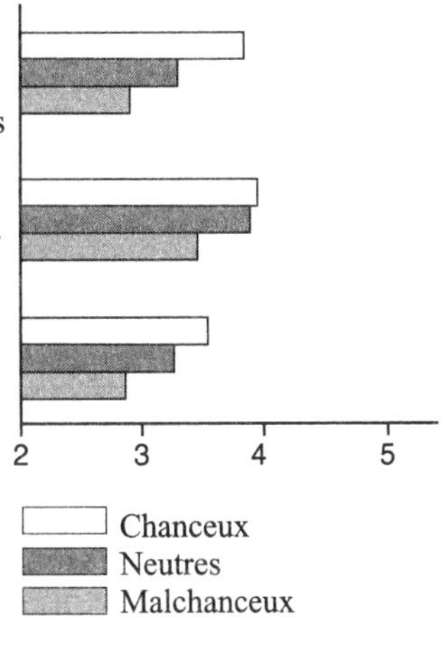

affables et attentives. Mais le point de départ des attentes d'Andrew sortait néanmoins de l'ordinaire.

> « J'avais sept ans quand ma mère est morte. On pourrait se dire que rien de pire ne peut arriver à un petit garçon. Je l'ai d'ailleurs pensé pendant longtemps. Mais récemment, je suis revenu sur mon opinion. Quand je songe à la disparition de ma mère, je me rends compte à présent que, d'une façon biscornue, elle a représenté une bénédiction. Tous mes instituteurs se sentaient obligés de me traiter avec gentillesse, si bien qu'ils m'accordaient du temps et un soutien supplémentaires. Tous les adultes me manifestaient beaucoup de bonté et de respect. Ces premières impressions que je me suis faites des adultes ont coloré toute ma vie. Je m'attends à rencontrer des gens aimables et généreux. Quand je me dirige vers quelqu'un, j'assume toujours a priori qu'il s'agit d'une personne bien. Et on dirait que je fais beaucoup plus d'expériences positives que la moyenne des gens. Ils me disent : “Non, non, tous ceux à qui je parle sont vraiment méchants, mesquins, je n'arrive à rencontrer personne.” À mon avis, c'est parce que je considère que tout le monde est intrinsèquement bon, au départ en tout cas. Il faut me prouver le contraire. »

La perte infortunée de sa mère à un âge fort tendre amena Andrew à faire une série de rencontres fructueuses avec des adultes. Par la suite, ces expériences l'incitèrent à attendre le meilleur de toutes les personnes dont il fit connaissance, si bien que ces dernières adoptèrent à leur tour un comportement positif avec lui. Cet exemple démontre de façon frappante comment les attentes des chanceux peuvent se transformer en prédictions qui se réalisent et les aider à concrétiser un grand nombre de leurs rêves et ambitions.

RÉSUMÉ DU CHAPITRE

On dirait que les chanceux et les malchanceux vivent dans des univers différents. Malgré tous leurs efforts, les malchanceux semblent incapables d'atteindre leurs buts alors que les chanceux réalisent sans trop de mal leurs rêves et ambitions. Mes travaux ont révélé que ces deux groupes nourrissent des attentes fort différentes à propos de l'avenir. Les malchanceux sont persuadés qu'il sera terne et qu'ils ne peuvent rien y faire. Les chanceux, tout à fait à l'inverse, le voient à coup sûr radieux et plein de choses magnifiques. Ces attentes exercent une influence considérable sur leurs pensées et leur comportement. Elles déterminent s'ils vont tenter d'atteindre leur but et la persévérance de leurs efforts face à l'adversité. Leur conduite à l'égard des autres et la manière dont les autres y répondent. Comportement qui transforme en concrétisations de leurs prédictions et qui a le pouvoir d'affecter leurs vies professionnelle et privée. La concrétisation des ambitions des chanceux n'est pas le fruit du hasard. À l'inverse, il n'est écrit nulle part que les malchanceux n'obtiendront pas ce qu'ils veulent de la vie. Leurs réussites et leurs échecs s'expliquent en fait en grande partie par leurs attentes radicales.

Bref, les uns et les autres nourrissent des attentes hors du commun, lesquelles ont le pouvoir de forger leur avenir.

TROISIÈME PRINCIPE : ATTENDRE LA BONNE FORTUNE

Les attentes des chanceux les aident à remplir leurs rêves et leurs ambitions.

Sous-principe

1 : Les chanceux s'attendent à ce que la chance continue à leur sourire.

2 : Les chanceux essaient de réaliser leurs objectifs, même si les probabilités d'y parvenir sont minces, et ils persévèrent devant l'échec.

3 : Les chanceux s'attendent à avoir des relations fructueuses et profitables avec les autres.

6
Quatrième principe
TRANSFORMER LE MAUVAIS SORT EN BONNE FORTUNE

PRINCIPE : LES CHANCEUX SONT CAPABLES DE TRANSFORMER LE MAUVAIS SORT EN BONNE FORTUNE

Nous avons jusqu'à présent étudié trois principes utilisés par les chanceux pour profiter de leur bonne étoile. Cependant, la vie n'est pas uniquement pour eux un lit de roses. Il leur arrive parfois, comme à tout un chacun, d'être confrontés à des événements négatifs et à la fatalité. En étudiant la manière dont ils réagissent alors, j'ai découvert un quatrième principe: une façon mystérieuse de transformer les mauvais coups du sort en une chance stupéfiante.

Au Japon, il existe un porte-bonheur baptisé Poupée Daruma. Elle tient son nom d'un moine bouddhiste qui, selon la légende, est resté si longtemps assis en méditation que ses jambes et ses bras ont disparu. La poupée Daruma a une forme d'œuf, avec de grosses fesses rondes. Lorsqu'on la renverse, elle se redresse toujours. Les chanceux lui ressemblent. Ce n'est pas qu'ils ne rencontrent jamais le mauvais sort mais, en cas de déveine, ils ont la faculté de se relever tout de suite. Mes recherches ont révélé pourquoi. J'ai eu l'impression d'ouvrir la poupée Daruma, de regarder à l'intérieur et de découvrir la raison pour laquelle les chanceux flageolent mais ne tombent pas. Ce secret repose sur quatre techniques. Ensemble, elles forment un bouclier presque invincible qui les protège des flèches et des lance-pierres de la fatalité.

Sous-principe 1 : Les chanceux voient le côté positif de leur déveine

Jetez un coup d'œil sur l'image de la page suivante. Elle représente deux individus qui ont l'air plutôt affligés. Mais comme pour la plupart des choses de la vie, tout dépend de la manière dont vous les regardez. Retournez le livre et jetez un nouveau coup d'œil. Cette fois, ils ont l'air plus heureux. Ce n'est pas la situation qui a changé mais le regard que vous portez sur elle. Les chanceux s'y prennent de la même façon lorsque la malchance les atteint. Ils tournent le monde à l'envers pour le regarder d'un autre œil.

Imaginez que vous êtes choisi pour représenter votre pays aux Jeux olympiques. Vous remportez une médaille de bronze. Quelle joie en tirerez-vous ? J'imagine que la plupart d'entre vous seront enchantés et fiers de leur réussite. À présent, remontez dans le temps et imaginez que vous participez pour la seconde fois à ces mêmes Jeux olympiques. Vous vous en sortez encore mieux que la première fois et remportez une médaille d'argent. Quelle joie en tirez-vous à présent ? La plupart d'entre nous imaginent qu'ils seront plus heureux d'obtenir une médaille d'argent qu'une médaille de bronze. Après tout, les médailles sont à l'image de nos performances et une médaille d'argent indique que nous avons brillé davantage qu'une médaille de bronze.

Pourtant, des études indiquent que les athlètes ayant obtenu des médailles de bronze sont plus satisfaits que ceux qui ont remporté des médailles d'argent. La raison de cette préférence a tout à voir avec l'idée qu'ils se font de leurs performances. Les médaillés d'argent se focalisent

sur le fait qu'ils auraient pu remporter la médaille d'or, s'ils avaient brillé un tout petit peu plus sur le terrain. À l'inverse, les médaillés de bronze se disent que s'ils avaient été un peu moins en forme, ils n'auraient rien gagné du tout. Pour les psychologues, cette faculté d'imaginer ce qui aurait pu se produire à la place de ce qui s'est véritablement produit s'appelle « raisonnement antifactuel ».

Je me suis demandé si les chanceux n'utilisaient pas leur raisonnement antifactuel pour adoucir l'impact émotionnel de la mauvaise fortune. En se convainquant que les choses auraient pu être bien pires, ils prennent plus à la légère ces fâcheux coups du sort. Pour l'établir, j'ai présenté plusieurs scénarios négatifs à des chanceux et des malchanceux et observé leurs réactions. Ce travail a été mené en collaboration avec mon assistant de l'époque, Matthew Smith, et un de mes collègues psychologues de l'université du Hertfordshire, le Dr Peter Harris. Nous avons parcouru les récits que nous avaient faits nos sujets et en avons tiré plusieurs scénarios simples.

Le premier était basé sur une lettre que j'ai reçue au début de mes recherches. Elle provenait d'un homme prénommé Ronald, qui décrivait une série d'événements inhabituels et malchanceux. Quelques mois plus tôt, il se tenait sur un quai de gare lorsqu'un inconnu lui avait tiré

Exercice 12 : Réfléchissez au mauvais sort

Lisez les scénarios suivants et imaginez que vous les avez vraiment vécus. Sur une page vierge de votre Journal de Chance, accordez-leur une note entre 1 à 7 pour indiquer dans quelle mesure vous les classez dans la catégorie des événements dus à la chance ou à la malchance et expliquez ensuite en quelques lignes la note que vous avez attribuée à chacun.

Scénario n° 1 : Vous vous arrêtez brutalement à un feu rouge et la voiture qui vous suit percute l'arrière de la vôtre. Votre voiture est très endommagée et vous souffrez de contusions mineures.

Si cet incident vous arrivait, dans quelle mesure le considéreriez-vous comme une chance ou une malchance ?

Grande malchance – 3 – 2 – 1 0 + 1 + 2 + 3 Grande chance

Pourquoi ?

Scénario n° 2 : Vous avez besoin d'emprunter de l'argent à la banque. Vous prenez rendez-vous avec le directeur pour lui expliquer votre cas. Il est pressé, refuse de vous prêter toute la somme mais accepte de vous en prêter la moitié.

Si cette contrariété vous arrivait, dans quelle mesure la considéreriez-vous comme une chance ou une malchance ?

Grande malchance – 3 – 2 – 1 0 + 1 + 2 + 3 Grande chance

Pourquoi ?

Scénario n° 3 : Vous avez perdu votre portefeuille qui contenait du liquide, vos cartes de crédit et quelques souvenirs personnels ayant une valeur sentimentale. Le lendemain, quelqu'un va rendre le portefeuille à la police qui vous le remet à son tour. En l'ouvrant, vous constatez que le liquide et les cartes ont disparu mais que vos souvenirs sont toujours là.

Si cet incident vous arrivait, dans quelle mesure le considéreriez-vous comme une chance ou une malchance ?

Grande malchance – 3 – 2 – 1 0 + 1 + 2 + 3 Grande chance

Pourquoi ?

Score :

Regardez les notes que vous avez accordées à chaque scénario. Les malchanceux choisissent en général au moins deux notes négatives et les chanceux deux notes positives ou plus.

À présent, regardez les explications de votre notation. Que révèlent-elles à propos du regard que vous portez sur la vie ? Les malchanceux ont tendance à se focaliser sur l'aspect négatif des événements et à décrire comment l'issue aurait pu s'avérer meilleure. Les chanceux en voient pour leur part l'aspect positif et racontent comment elle aurait pu s'avérer bien pire.

Ce chapitre vous explique comment cette interprétation du mauvais sort est fortement liée à votre faculté de le transformer ou non en bonne fortune.

dessus avec un fusil à air comprimé. Ronald avait essayé de le maîtriser et dans l'empoignade qui s'était ensuivie, l'homme avait sorti un couteau et lui avait balafré le visage. Une agression violente, totalement aléatoire. Ronald se trouvait simplement au mauvais endroit au mauvais moment. Dans sa lettre, il me disait qu'il s'estimait malchanceux d'avoir été attaqué, mais après réflexion, également chanceux, puisque la balle, au lieu de ricocher du côté droit de son larynx et d'endommager ses cordes vocales, avait ricoché du côté gauche. Nous nous sommes basés sur l'infortuné accident survenu à Ronald pour bâtir le premier scénario de notre expérience.

Nous avons demandé à des chanceux et des malchanceux d'imaginer qu'ils attendaient leur tour au guichet d'une banque. Un braqueur entrait dans l'établissement, tirait sur eux et les touchait au bras. Nos sujets devaient indiquer dans quelle mesure ils considéraient cet incident comme une chance ou une malchance.

Grande malchance – 3 – 2 – 1 0 + 1 + 2 + 3 Grande chance

Les chanceux et les malchanceux ont apporté des réponses d'une différence sidérante.

Au cours du chapitre précédent, nous avons rencontré Clare. Elle a vécu toute une série d'histoires amoureuses ratées et n'a jamais apprécié aucun des nombreux emplois qu'elle a tenus. Clare, estimant que ce serait une grande malchance d'être la victime d'un braqueur de banque, a accordé la note – 3 au scénario. Dans son esprit, c'était sa malchance qui faisait qu'elle se trouvait dans cette banque au moment du casse.

Au chapitre 2, j'ai évoqué les aléas vécus par Stephen, l'éditeur. En matière financière, Stephen a joué de malchance : un notaire malhonnête a causé la faillite de son entreprise et il a raté de nombreuses occasions de gagner de l'argent. Steven a accordé la note – 2 au scénario et a noté :

> « Je trouve vraiment bizarre qu'on puisse considérer que cet événement relève de la chance, à moins, bien entendu, d'aimer se faire tirer dessus. »

À de nombreuses reprises les chanceux ont posé un œil beaucoup plus positif sur ce scénario et ont souvent remarqué que la situation aurait pu tourner beaucoup plus au tragique. Nous avons déjà rencontré plusieurs fois Lee, notre directeur des ventes chanceux. Lee se trouve souvent au bon endroit au bon moment, possède une intuition solide et fait appel à ses « désirs rêvés » pour escompter beaucoup de l'avenir. Lorsque nous lui avons demandé si se faire tirer dessus dans un casse relevait de la chance ou de la malchance, Lee nous a tout de suite répondu que ce serait une grande chance et a attribué la note + 3 au scénario. Puis il nous a dit :

> « La balle aurait pu vous tuer net. Si vous n'êtes atteint qu'au bras, vous avez encore vos chances. »

Au cours du chapitre précédent, je vous ai raconté comment l'attente très positive de l'avenir de Marvin, le détective privé, lui a permis de réaliser nombre de ses rêves et de ses ambitions. Comme Lee, Marvin a estimé que recevoir une balle dans le bras relèverait d'une grande chance et a opté pour la note + 3. Son commentaire nous a également éclairés sur sa vie chanceuse :

> « C'est de la chance parce que vous auriez pu recevoir une balle dans la tête. En outre, vous pourrez vendre votre histoire à la presse et gagner de l'argent. »

Dans un autre scénario, nous avons demandé à nos sujets d'imaginer qu'à la suite d'une glissade sur un tapis d'escalier qui s'était détaché, ils étaient tombés et s'étaient foulé la cheville. Là encore, ils ont dû accorder une note à ce scénario, sur une échelle allant de « grande malchance » à « grande chance » et, une fois de plus, les chanceux et les malchanceux en ont tiré des conclusions tout à fait opposées. Clare a donné la note – 3 et nous a déclaré :

> « Ça m'est arrivé lors d'une réception chez une amie. J'ai glissé sur le tapis dans l'escalier et je suis tombée sur une autre amie. J'ai enfoncé le talon de ma chaussure dans son visage. Sur le chemin de l'hôpital, la

> voiture a dérapé et s'est retournée. Nous nous sommes tous retrouvés aux urgences après cet accident. »

À l'inverse, Lee et Marvin ont trouvé qu'il s'agissait d'une grande chance et opté pour la note + 3. Tous deux ont déclaré qu'ils avaient bien de la chance de s'en tirer avec une cheville foulée, car ils auraient pu se briser le dos ou le cou.

Les chanceux et les malchanceux n'avaient donc absolument pas réagi de la même façon. Un grand nombre de malchanceux ne voyaient que malheur et désespoir dans les incidents fâcheux de nos scénarios. Les chanceux, au contraire, regardaient toujours le bon côté de chaque situation et imaginaient spontanément que les choses auraient pu être bien pires. Cette idée les rassurait et les confortait dans la certitude qu'ils appartenaient à la catégorie des gens nés sous une bonne étoile.

Ce point de vue différent sur les mauvais coups du sort émergeait dans nombre de conversations. Agnès, une infirmière-chef écossaise, mène une vie de famille très heureuse et a eu beaucoup de chance dans sa profession. Elle s'est retrouvée confrontée à la mort en plusieurs occasions. À l'âge de cinq ans, elle glissa et tomba tête la première dans une cheminée allumée. À sept ans, le tuyau de gaz qui passait près de sa maison se rompit et le gaz se répandit dans la chambre où elle dormait. Quelques années plus tard, alors qu'elle jouait dans la mer, elle faillit se noyer dans un trou invisible. Adolescente, elle fut renversée par une voiture.

Agnès ne se laissa pourtant pas abattre par cette série d'accidents et de blessures. Au contraire, sa faculté naturelle d'imaginer comment ces situations auraient pu être beaucoup plus dramatiques l'aida à garder le moral et à se considérer comme chanceuse. Quand elle m'a fait le récit de sa chute dans la cheminée, elle m'a précisé que son grand-père venait de tisonner les bûches si bien qu'elle avait échappé à des brûlures plus graves. Quand elle m'a raconté qu'elle avait inspiré les émanations de gaz, elle m'a dit que grâce à son habitude de dormir la tête sous les couvertures, elle n'avait pas respiré une dose de gaz fatale. À propos de la voiture qui l'avait renversée, elle m'a expliqué qu'elle venait de prendre un virage et qu'elle n'allait donc pas très vite. Au lieu de se classer dans la catégorie des malchanceux, Agnès s'estimait chanceuse de s'en être sortie.

Spontanément, les chanceux ont tendance à imaginer que le mauvais sort aurait pu être bien plus funeste. Ce faisant, ils se rassurent sur eux-mêmes et sur leur vie. Cette attitude les aide à attendre constamment beaucoup de l'avenir, si bien que la probabilité qu'ils continuent à mener une vie chanceuse en est accrue. Ils se comparent également à des personnes qui ont eu davantage de malchance qu'eux. Nous pouvons illustrer leur position à l'aide d'une simple illusion optique. Regardez les deux images suivantes :

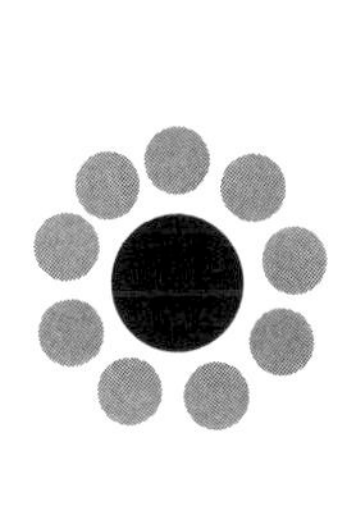

Image 1

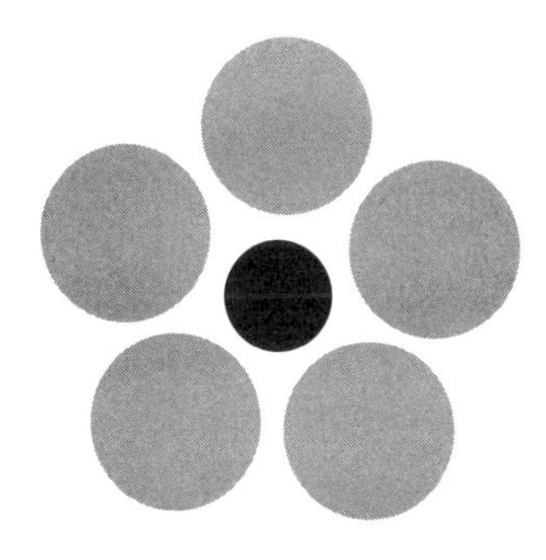

Image 2

Dans cet exemple célèbre, le cercle noir de l'image 1 semble plus grand que le cercle noir de l'image 2. En fait, ils sont absolument identiques. S'ils nous semblent de taille différente, c'est parce que notre cerveau les compare automatiquement avec leur environnement. Le cercle de gauche est entouré de petits cercles, si bien que comparé à eux, il a l'air plutôt grand. Le cercle de droite est entouré de grands cercles, si bien qu'il apparaît relativement petit. Or les individus ont une manière identique de mesurer leur chance ou leur malchance.

Imaginez que ces cercles représentent votre salaire et celui de vos collègues dans deux emplois différents. Les cercles noirs représentent le vôtre et les gris ceux de vos collègues. Les cercles de l'image 1 correspondent à votre premier emploi et les cercles de l'image 2 à votre deuxième emploi. Dans les deux cas, vous gagnez le même salaire, comme l'indique la taille identique des deux cercles. Cependant, vous n'en aurez pas l'impression d'un point de vue psychologique. Dans votre premier travail, vous gagnez davantage que vos collègues si bien que, psychologiquement, vous êtes susceptible d'être davantage satisfait de votre situation. Dans le deuxième emploi, ce sont eux qui gagnent plus que vous, si bien que psychologiquement vous allez probablement être moins satisfait de votre situation.

Les chanceux et les malchanceux ont souvent recours à ce type de « réflexion comparative » quand ils considèrent les événements heureux et malheureux de leur vie. Dans la section précédente, je vous ai raconté comme Clare regardait toujours le côté négatif des scénarios imaginaires qui lui étaient présentés. En outre, elle avait tendance à exagérer l'impact de sa malchance en se comparant à des personnes qui lui semblaient plus chanceuses qu'elle. Dans un entretien, elle m'a raconté qu'elle se trouve malchanceuse dans son emploi actuel :

> « Dès que quelque chose va de travers, on dirait que c'est de ma faute. Jamais celle de quelqu'un d'autre, toujours la mienne. Et je n'arrête pas de me dire « Pourquoi moi ? ». Dans mon travail, je ne côtoie que des gens qui ont de la chance, qui achètent de nouvelles voitures, partent en vacances, fréquentent des clubs, ont des loisirs, mais moi, je ne peux pas me payer de vacances. Alors je me dis sans cesse “Pourquoi moi ?”. »

Les chanceux, à l'inverse, ont tendance à diminuer l'impact de leur mauvaise fortune en se comparant à des personnes moins gâtées qu'eux par le sort. Mina en est un exemple frappant. Elle a grandi en Pologne pendant la Seconde Guerre mondiale. L'occupant rassemblait souvent des groupes de ses concitoyens pour les emprisonner ou les déporter. Un jour, Mina échappa de peu à une rafle en se cachant dans une petite cour. Malheureusement, beaucoup des membres de sa famille et ses amis n'eurent pas cette chance. Ces événements, on ne s'en étonnera pas, continuent à la hanter et influencent le regard qu'elle porte sur sa mauvaise fortune :

> « Chaque fois qu'il m'arrive quelque chose de négatif, je pense aux gens qui ont vécu, qui vivent, des événements plus douloureux que ceux que j'ai traversés... Ceux qui ont été en camp de concentration ou handicapés par la guerre. Il m'arrive de me dire pendant un certain temps que je n'ai pas de chance dans tel ou tel domaine, mais je songe alors à ces personnes, aux situations bien plus épouvantables qu'elles ont dû subir, et je réalise que je m'en sors beaucoup mieux qu'elles. »

En résumé, les chanceux adoucissent l'impact émotionnel des événements négatifs en imaginant qu'ils auraient pu être beaucoup plus graves et en se comparant à des personnes qui ont eu une malchance pire que la leur.

Sous-principe 2 : Les chanceux sont convaincus que leur malchance finira par déboucher sur quelque chose de positif

Une seconde technique, d'une importance capitale, soutient la faculté des chanceux de transformer leur mauvaise fortune en bonne fortune. Technique dont le raisonnement remonte à plusieurs milliers d'années.

Une ancienne parabole démontre comment un fermier avisé avait compris que nombre des événements en apparence malchanceux de notre vie se transforment souvent mystérieusement en chance. Un jour où ce fermier montait à cheval, il fut subitement jeté à bas de sa monture. Il se brisa une jambe. Quelques jours plus tard, un voisin lui rendit visite pour compatir à sa malchance, mais le fermier lui répondit : « Comment sais-tu qu'il s'agit de malchance ? » Une semaine après, une fête se tint au village. Sa jambe cassée empêcha le fermier d'y assister. Une nouvelle fois son voisin vint le plaindre de sa malchance et une nouvelle fois, le fermier lui répondit : « Comment sais-tu que c'est de la malchance ? » Un terrible incendie se déclara pendant la fête et beaucoup de paysans périrent. Le voisin comprit que cette série de coups du sort avait en fait sauvé la vie du fermier et que ce dernier avait bien eu raison de mettre en question le côté malchanceux.

De nombreux chanceux adoptent la même attitude que ce fermier. Lorsqu'ils regardent en arrière, ils s'attardent plutôt sur les bénéfices qu'ils ont tirés de leur malchance. Dans le chapitre 3, nous avons rencontré Joseph, un étudiant d'âge mûr qui a bénéficié de plusieurs occasions de changer de vie. Joseph a la faculté étonnante de transformer sa déveine en chance. Il va bientôt obtenir son diplôme de psychologue et mène une vie heureuse et paisible. Jeune, il en allait tout autrement. Il avait constamment des ennuis avec la police et a même fait de la prison pour avoir tenté de s'introduire dans des bureaux par effraction.

À y réfléchir, il estime aujourd'hui qu'il s'agit là d'une des chances de sa vie :

> « Quand j'avais vingt ans, je traînais avec deux autres types. Ensemble nous commettions toutes sortes de petits délits, des larcins, des trucs comme ça. Une nuit nous avons décidé d'entrer par effraction dans un immeuble de bureaux. J'ai grimpé sur le toit et subitement, j'ignore pourquoi, j'ai été pris de vertige et je suis resté paralysé sur place. La sonnette d'alarme s'est déclenchée. Les deux autres ont déguerpi mais moi, je suis resté planté là. Puis la police est arrivée et m'a attrapé. Je suis passé au tribunal et j'ai été condamné à quatre mois d'incarcération. En prison, j'ai appris que mes camarades avaient fait une autre bêtise et qu'ils s'étaient fait prendre pour d'autres criminels ayant la réputation d'être armés. La police les avait confondus et leur avait tiré dessus. L'un d'eux avait été sérieusement blessé — aujourd'hui il est dans un fauteuil roulant — et l'autre tué. Cet emprisonnement est probablement la meilleure chose qui me soit jamais arrivée. Sinon, j'aurais été avec eux la nuit où on leur a tiré dessus, et je ne serais probablement plus de ce monde. »

Personnellement, j'ai souvent éprouvé la même impression. En fait, lorsque j'étais magicien, un des coups du sort les plus ennuyeux que j'aie subis a débouché sur une grande chance. J'avais été invité à me produire en Californie dans un club de magiciens prestigieux — le Château magique de Hollywood — et je voulais vraiment faire bonne impression. J'ai décidé d'effectuer une halte de quelques jours à New York en me rendant là-bas. À l'époque, tout mon spectacle tenait dans une petite valise qui ne me quittait jamais, on comprend pourquoi. Je suis entré dans un snack pour prendre un repas et j'ai déposé ma valise sur la chaise voisine. À un moment donné, il y a eu du remue-ménage de l'autre côté du restaurant et j'ai essayé de voir de quoi il retournait. Quand j'ai reporté mon regard sur la chaise, ma valise avait disparu. Avec tout mon nécessaire de magicien, à quelques jours de mon spectacle! Pire encore, plusieurs accessoires étaient irremplaçables, si bien que j'ai dû concevoir à toute vitesse de nouveaux tours de prestidigitation. Je suis allé acheter plusieurs jeux de cartes dans un magasin du coin et je suis rentré à mon hôtel. Cette nuit-là, j'ai vraiment découvert la signification de l'adage: « Nécessité est mère de l'invention. » J'ai travaillé jusqu'à l'aube pour imaginer de nouveaux tours avec le matériel dont je disposais. J'en ai inventé deux et répété plusieurs que je n'avais pas effectués depuis des années. Mon nouveau spectacle était bien meilleur que le précédent, et par la suite, mes collègues m'ont même attribué des récompenses pour l'originalité de mes deux nouveaux tours. Si l'on ne m'avait pas volé ma valise, je ne me serais jamais donné le mal de les inventer. À l'époque bien sûr, je ne l'ai pas compris, mais ce vol est l'une des plus grandes chances dont j'aie bénéficié lorsque j'étais magicien.

Les chanceux font appel à ce raisonnement pour adoucir l'impact émotionnel du mauvais sort qui s'abat sur eux. En regardant en arrière et en se focalisant sur les effets positifs de cette malchance apparente, ils se laissent moins démoraliser, se projettent le plus loin possible dans l'avenir et s'attendent à ce que les choses s'arrangent.

Sous-principe 3 : Les chanceux ne ruminent pas leur mauvais sort

Les malchanceux ont tendance à ruminer leur mauvais sort. Comme le déclare l'un d'eux :

> « J'ai presque l'impression d'être poursuivi par une malédiction. Par moments, je ne sais plus dans quelle direction me tourner. J'ai passé des nuits d'insomnie à m'inquiéter de ce qui allait m'arriver, alors que je ne pouvais rien y faire. Je me demande ce que j'ai pu faire de mal pour mériter ça. »

Les chanceux adoptent la position inverse. Ils se détachent du passé pour se concentrer sur l'avenir. Au chapitre 4, nous avons vu comment la méditation aide Jonathan à développer ses facultés intuitives et accroître sa chance, tant dans sa vie professionnelle que privée. Jonathan a également la réputation de transformer la déveine en bonne fortune :

> « Je ne compte plus les fois où mon patron a déclaré que j'avais l'art de toujours retomber sur mes pieds. Il a vraiment utilisé cette expression, d'autres personnes me l'ont rapporté. Parfois les choses ne vont pas du tout, mais je rebondis et elles s'arrangent. »

Jonathan m'a également raconté comment la méditation l'aide à se détacher des événements négatifs de sa vie :

> « Je pense que la méditation m'aide beaucoup à voir la vie plus en rose. On peut éteindre la lumière pour se calmer. Quand on se réveille débarrassé de son stress, on considère les choses avec davantage de lucidité. On comprend que si on ne peut pas changer une situation, il ne sert à rien de se stresser. Quand on peut agir et faire quelque chose, il ne faut pas s'en priver. Mais s'il n'y a rien à faire — quand on est coincé dans un embouteillage par exemple —, mieux vaut ne plus y penser et se calmer. En général, je suis plutôt doué

pour m'en détacher. De nature, je ne suis pas du genre à ruminer. La plupart du temps, j'obtiens plutôt ce que je veux, mais si ce n'est pas le cas, j'arrive à mettre cette déception dans un tiroir quand je me réveille le lendemain. Je me dis: "Très bien, tu ne peux rien y faire et ça ne sert à rien d'y penser." Et je poursuis ma vie. »

Jonathan n'est pas le seul à souligner qu'il est important de ne pas insister. Linda aussi, qui a concrétisé nombre de ses rêves et ambitions. À ma question sur l'attitude qu'elle adoptait face à la déveine, elle a, comme beaucoup d'autres, mentionné le rôle important joué par la méditation dans l'oubli des événements négatifs:

> « Les événements vraiment tristes et déprimants, je m'en débarrasse, en fait. J'ai pratiqué la méditation bouddhiste et ça m'a beaucoup aidée. J'ai simplement appris à ne pas m'accrocher aux choses négatives ou perturbantes. Il faut les considérer comme de mauvaises expériences, ne plus y penser et ne pas s'en inquiéter. Je n'ai aucun mal à y parvenir. Je ne suis pas du genre à ressasser. À mon avis, lorsqu'on se laisse aller à la mauvaise humeur et que l'on déprime à cause d'un mauvais moment, ça ne fait qu'empirer les choses. On a plutôt intérêt à faire preuve de gaieté. »

John, un avocat new-yorkais, a constaté qu'une grande partie de sa veine semble issue d'événements en apparence négatifs. Enfant, son embonpoint lui valut beaucoup de moqueries. Jeune homme, il s'inscrivit dans un club d'amaigrissement. Le jour où il s'y rendit pour la première fois, il y rencontra la femme de sa vie. Ils se marièrent quelques années plus tard et leur mariage dure toujours. Cependant, la faculté de John de surmonter la malchance, voire même d'en tirer profit, ne s'arrête pas là:

> « Les expériences que j'ai vécues prouvent bien que les choses qui apparaissent pires que tout au monde

> peuvent s'avérer positives. Quand je regarde en arrière, je constate qu'une grande partie de ma malchance m'a servi d'apprentissage positif. Parfois, j'apprends simplement que je suis capable de m'en sortir sans un élément que je croyais fondamental. Depuis quelques années, les cours de la Bourse jouent au yo-yo. J'ai fait de très mauvais investissements et perdu environ deux millions de dollars. Au lieu d'en tomber malade, comme je l'imaginais, je l'ai très bien supporté. Ce n'était pas la fin du monde. Ce revers de fortune m'a aidé à réfléchir à la signification de cet argent dans ma vie. Je conserve mon travail, ma santé, ma famille et ma femme.
>
> « Je me soucie rarement du passé. Il ne m'attire pas du tout. À la place, je cherche le trésor dans la montagne d'ordures et je me laisse rarement embourber dans l'aspect négatif des choses. En général, je me focalise sur le versant ensoleillé d'une situation et sur la manière dont je peux en tirer profit. »

Ces approches très divergentes exercent un impact important sur le déroulement des pensées et sur les sentiments des chanceux et des malchanceux. Des recherches ont montré que ceux qui ont tendance à ressasser les événements négatifs de leur vie sombrent dans la tristesse. De la même manière, ceux qui les oublient pour se concentrer sur des événements positifs sont tout de suite plus heureux.

On ne constate cependant pas seulement les effets de la mémoire sur l'humeur, mais également ceux de l'humeur sur la mémoire. Lors d'une expérience intelligemment conçue, le psychologue James Laird et ses collègues de Clark University ont étudié l'impact de l'humeur sur la mémoire. Pour cela, ils ont demandé à leurs sujets de lire deux passages brefs. Le premier était un court éditorial, très triste, à propos des massacres inutiles de dauphins lors de la pêche au thon, et le deuxième une histoire drôle de Woody Allen.

Ils ont ensuite eu recours à une technique ingénieuse pour forcer leurs sujets à se sentir gais ou tristes. Ils ont demandé à la moitié d'entre eux de tenir un crayon entre les dents, en évitant de le toucher des lèvres. À leur insu, la partie inférieure de leur bouche formait un sourire. À l'autre moitié, ils ont demandé de tenir le crayon au moyen de leurs lèvres, sans l'aide de leurs dents. À leur insu, la partie inférieure de leur visage formait une grimace. Les personnes qui s'obligent à sourire arrivent à se sentir vraiment gaies. Celles qui se forcent à grimacer éprouvent de la tristesse. On a ensuite demandé à tous les sujets de noter ce qu'ils avaient retenu des deux histoires. Les résultats ont été parlants : ceux qu'on avait contraints à sourire se souvenaient surtout de l'histoire de Woody Allen. Ceux qu'on avait obligés à grimacer se souvenaient bien davantage des détails du triste éditorial sur les dauphins. Leur humeur avait par conséquent eu une incidence sur les informations qu'ils avaient retenues. De la même manière, lorsque nous portons un regard joyeux sur notre vie, nous nous rappelons plutôt les événements heureux. Lorsque nous portons dessus un regard mélancolique, nous avons tendance à ressasser davantage des événements malheureux.

Cette relation à double sens entre l'humeur et la mémoire explique pourquoi la répugnance des chanceux à ruminer le mauvais sort les aide à escompter beaucoup de l'avenir. Les malchanceux qui s'attardent sur leur malchance se sentent pour leur part d'autant plus tristes et infortunés. Du coup, ils pensent davantage au mauvais sort qui les accable, accroissant de la sorte leur sentiment d'affliction et de malchance. La spirale descendante se poursuit et les plonge dans une vision du monde de plus en plus négative. Leurs souvenirs influencent leur humeur qui à son tour influence leurs souvenirs.

EXERCICE 13 : ATTITUDES À L'ÉGARD DU MAUVAIS SORT

Cet exercice concerne vos réactions aux problèmes et aux échecs. Sur une page vierge de votre Journal de Chance, résumez sincèrement la manière dont vous réagiriez aux événements suivants, s'ils vous arrivaient.

Événement n° 1 : Vous ratez quatre fois de suite votre permis de conduire.

Comment réagiriez-vous à cet échec ?

Événement n° 2 : Depuis trois ans, vous réclamez tous les ans une promotion, mais elle vous est toujours refusée.

Comment réagiriez-vous à cet échec ?

Événement n° 3 : Vous avez essayé à trois reprises de réparer une fuite à un tuyau du plafond mais n'avez réussi qu'à aggraver cette fuite.

Comment réagiriez-vous à cet échec ?

Interprétation

J'ai posé ces questions à un grand nombre de chanceux et de malchanceux. Leurs réponses comportent en général les éléments suivants :

Les malchanceux déclarent souvent qu'ils baisseraient les bras et apprendraient à vivre avec ces problèmes. Ils n'essaient pas d'en découvrir la raison et lorsqu'ils envisagent de les résoudre, c'est en ayant recours à des moyens inefficaces. Par exemple, en invoquant la superstition.

Les chanceux, à l'opposé, déclarent souvent qu'ils persévéreraient au lieu d'abandonner, qu'ils transformeraient ces expériences en occasions de tirer des leçons de leurs erreurs passées, qu'ils étudieraient des moyens inédits et plus efficaces de les résoudre. Par exemple, faire appel à un expert ou les aborder par la bande.

Les chanceux sont capables d'éviter ce processus en tirant un trait sur les événements négatifs de leur vie pour se concentrer sur leur chance. Les bons souvenirs leur inspirent le sentiment d'être heureux et chanceux. Grâce à un effet boule de neige, ils repensent à d'autres occasions où les événements ont joué en leur faveur. Au lieu d'être aspirés dans une spirale descendante, ils ont l'impression que leurs souvenirs et leurs humeurs se liguent pour les rendre plus chanceux.

Sous-principe 4 : Les chanceux prennent des mesures constructives pour éviter d'avoir davantage de déveine

Imaginez que vous avez eu trois rendez-vous galants, dont aucun n'a été couronné de succès. Ou quatre entretiens d'embauche, qui ont tous échoué. Ou alors vous êtes allé acheter un vêtement précis, vous l'avez trouvé mais au moment de payer, il y avait une queue interminable à la caisse. Comment réagiriez-vous à ces trois situations ? Prendriez-vous la décision de persévérer ou d'abandonner ? De tenir ou de craquer ? Pour découvrir comment ces deux groupes réagissaient face au mauvais sort, j'ai présenté ce genre de scénario et posé ce type de questions à un grand nombre de chanceux et malchanceux. À tous, j'ai demandé ce que leur inspiraient ces situations et surtout, comment ils réagiraient. Leurs réponses ont apporté un éclairage fascinant sur la psychologie de la chance.

Dans le chapitre précédent, j'ai expliqué que les attentes des chanceux et des malchanceux sont liées à leur degré de persévérance face à l'adversité. Les malchanceux, convaincus à l'avance de leur échec, ne se donnent souvent même pas la peine d'accomplir le moindre effort. Les chanceux font le contraire. Sûrs de leur succès, ils persévèrent volontiers. J'ai retrouvé cette même différence d'attitude quand je les ai interrogés à propos de leur réaction au mauvais sort. Les malchanceux m'ont souvent répondu qu'ils se contenteraient d'abandonner. Après avoir imaginé l'échec de trois de ses rendez-vous galants, une femme m'a déclaré :

> « Je ne ferais rien. J'imagine que je me dirais simplement que c'était écrit. Si ces trois rendez-vous ne marchaient pas, je n'essaierais plus de trouver un compagnon. »

À la pensée de trouver le vêtement qu'elle cherchait mais d'avoir à faire une queue interminable pour régler son achat, elle m'a expliqué :

> « Je pleurnicherais sans doute pendant une semaine puis je cesserais d'y penser, ou alors je ferais la queue en sachant pertinemment que la caisse tomberait en panne quand viendrait mon tour de payer. Après, je piquerais une crise. »

Les chanceux insistaient bien davantage. En leur for intérieur, ils étaient convaincus de ne pas être voués à la malchance. Ils considéraient au contraire le mauvais sort comme un défi à vaincre, susceptible de faire fructifier leur chance à l'avenir. Après avoir imaginé ces trois rendez-vous ratés, l'un d'eux m'a dit :

> « Je ferais de nouvelles tentatives, sans jamais me lasser. Continuer à aller de l'avant, à essayer. Ne pas se laisser décourager, y aller. Continuer à essayer. Il ne faut pas abandonner si facilement. La vie nous réserve ces petites épreuves et c'est à nous de les surmonter. »

Après avoir imaginé l'échec de ses entretiens de travail, un autre m'a écrit :

> « Je me contenterais de hausser les épaules et d'insister. J'écrirais tout de suite à d'autres employeurs. Le même jour, probablement, afin d'avoir l'impression d'avoir accompli quelque chose de positif. »

Un autre chanceux aurait réagi un peu de la même façon après trois entretiens d'embauche ratés :

> « J'écrirais sans doute à la personne qui m'a reçu pour lui demander ce qui n'allait pas. Je voudrais des renseignements afin de ne pas réitérer mon erreur la fois suivante. »

Conclusion, les chanceux insistent et ont une attitude plus constructive face à l'échec. De cette façon, ils parviennent à renverser le mauvais sort. Cependant, ils ont souvent mentionné un troisième type de réaction. L'énigme qui suit vous l'illustrera sans doute très clairement. Imaginez que je vous remette une bougie, une boîte de pinces à dessin et une autre d'allumettes. L'objectif est de fixer la bougie au mur de telle façon qu'elle puisse être allumée et utilisée comme éclairage. Certains essaient d'enfoncer les pinces dans le mur et de poser la bougie en équilibre dessus. D'autres essaient de faire fondre le dessous de la bougie avec les allumettes, puis de la coller au mur. Aucune de ces méthodes ne fonctionne. En fait, seul un petit nombre de personnes trouvent la solution correcte. Elles sortent les pinces de la boîte et en utilisent ensuite deux pour fixer cette dernière au mur. Cette solution est à la fois simple, élégante et efficace. Elle exige aussi de la créativité et une souplesse de réflexion. Elle demande au sujet d'envisager les objets qu'on leur a remis sous un angle indirect. La boîte ne demeure pas une simple boîte de pinces, elle peut devenir un bougeoir. Ce sont ceux qui abordent le problème avec imagination qui trouvent la solution. Ils réussissent parce qu'ils sont capables de ne pas faire une fixation sur la boîte telle qu'elle se présente.

J'ai constaté que les chanceux s'attaquent aux scénarios négatifs de mon expérience à partir du même principe. Lorsque le mauvais sort dresse un obstacle, ils explorent de nouvelles façons de résoudre le problème qui se pose à eux. Après avoir réfléchi à ces trois rendez-vous galants ratés, une chanceuse m'a déclaré :

> « Je pense que je laisserais les hommes de côté pendant un certain temps pour me consacrer à mes amies, ou a de simples amis. Je n'insisterais pas. J'attendrais que les choses arrivent naturellement au lieu de sortir, sortir, sortir avec des hommes différents. »

Une autre a envisagé une solution originale pour échapper à la queue dans le magasin :

> « ... Parfois, il est possible de s'approcher de la caisse et de dire : “Auriez-vous la gentillesse de me garder ça pour demain ? Je reviendrai le prendre.” Certaines caissières acceptent. »

Les malchanceux formulaient rarement ce genre d'idées. Lorsque la déveine leur bloquait la route, ils avaient tendance à rentrer chez eux plutôt qu'à chercher un itinéraire de remplacement. En fait, un seul malchanceux m'a fourni une réponse créative ou inédite. Et elle consistait, c'est intéressant, à éliminer le problème en changeant de priorité, au lieu de vaincre sa déveine. Lorsque j'ai demandé à cet homme de me dire comment il réagirait à trois rendez-vous amoureux ratés, il a réfléchi un moment à la question, puis il a levé les yeux, m'a souri et m'a répondu qu'il se ferait probablement curé.

Des facteurs en tous points identiques émergeaient de mes entretiens avec les chanceux et les malchanceux au sujet de leur véritable déveine. Les malchanceux essayaient fort rarement de tirer une leçon de leurs erreurs passées et d'explorer de nouvelles façons de s'attaquer à leur déveine. Ils étaient au contraire convaincus qu'ils ne pouvaient rien faire pour changer la situation et se contentaient de la subir.

Prenons le cas de Shelly, une infirmière malchanceuse. Après une enfance heureuse, elle fit des études dans un hôpital célèbre. Diplôme d'infirmière en poche, elle voyagea autour du monde et mena une vie très agréable. Puis elle rencontra Paul, son futur mari, tout à fait par hasard. C'était un homme qui avait été très malchanceux. Shelly pense que cette malchance déteignit sur elle. Depuis, elle accumule les problèmes de santé, de chômage et de misère affective. Mais la plus grande partie de sa malchance tourne autour de sa conduite automobile.

Shelly acheta sa première voiture en 1983. Malheureusement son mari mourut quelques semaines plus tard et peu après ses obsèques, elle eut son premier accident.

Le choc provoqué par le décès de son mari, mêlé à celui de l'accident, lui fit perdre la mémoire pendant un mois, si bien qu'elle ne se souvient que vaguement des circonstances de l'accident. Elle est néanmoins persuadée qu'elle n'était pas en tort, que la voiture avait un problème. Pour ce qui est de sa deuxième voiture, sa mémoire ne lui fait pas défaut. Elle raconte :

> « Le premier accident s'est produit quand la voiture qui me précédait a subitement tourné à gauche sans mettre son clignotant. Elle a arraché mon phare. J'ai endossé la responsabilité, parce que, selon la loi, je devais la suivre de trop près. Puis j'ai heurté une voiture qui était devant moi à la suite d'un brusque coup de frein. Pour mon troisième accident, j'ai descendu un talus de chemin de fer. Je ne comprends pas comment c'est arrivé. J'ai voulu prendre un objet sur le siège du passager, la voiture a quitté la route et percuté un mur. Après ça, j'ai démoli un feu rouge. Comme j'avais eu mon compte, je m'en suis débarrassée. »

La troisième voiture de Shelly était automatique. Son premier accident avec elle se produisit parce que la lanière d'une de ses chaussures s'était coincée dans la pédale de frein. Du coup, elle entra dans une voiture qui arrivait en sens inverse. Elle attribue l'accident à l'autre conducteur mais les compagnies d'assurances conclurent à l'époque qu'elle était responsable.

Ces accidents auraient amené la plupart d'entre nous à s'interroger sur leur conduite. Ils ont eu lieu avec trois voitures différentes et Shelly en a souvent été tenue pour responsable. Mais elle continue à affirmer qu'ils étaient dus à sa malchance et à des problèmes mécaniques. Résultat, elle est convaincue qu'elle ne peut rien y faire. Les choses sont comme elles sont.

Lorsque les malchanceux essaient d'agir sur le mauvais sort, ils s'y prennent souvent d'une manière qui n'a rien de constructif. Au lieu d'améliorer sa conduite, Shelly essaya pour sa part d'aider les autres :

> « Parfois, tout ce qu'on fait se transforme en un tel désastre qu'on a l'impression que ça ne s'arrêtera jamais. On dirait que les forces mystérieuses qui causent ces accidents ont décidé qu'ils vous concerneraient, une bonne fois pour toutes. J'en ai conclu qu'il s'agissait d'une punition et j'ai essayé de m'amender. Je me suis occupée de ma mère, malade et âgée, pendant des années, j'ai sauvé des animaux et pratiqué le bénévolat. Malgré tous mes efforts, rien n'a changé. Pendant des années, j'ai tenu un journal de ces événements, dans l'attente que la marée s'inverse. Elle ne l'a jamais fait et j'ai jeté mon journal. »

Shelly n'est pas la seule malchanceuse à avoir essayé, sans y parvenir, d'agir sur son sort. Dans le chapitre 5, j'ai décrit la vie misérable de Clare. Elle a contracté beaucoup de maladies, elle n'a été satisfaite d'aucun de ses emplois et a été fort malheureuse en amour. Je lui ai demandé s'il lui était jamais arrivé de prendre des mesures pour accumuler moins de malchance. Elle m'a expliqué qu'elle s'en remettait à la superstition :

> « Il y a trois ou quatre mois j'ai reçu une lettre d'une voyante qui proposait de m'aider. Elle disait que je n'avais pas eu une enfance heureuse et je me suis demandé : “Comment peut-elle savoir ça ?” En y réfléchissant aujourd'hui, je suppose que c'était juste une lettre standard qui finirait bien par correspondre à quelqu'un. En tout cas, je m'y suis laissé prendre et je lui ai envoyé un peu d'argent — trente-trois livres. Elle m'a fait parvenir des chiffres à jouer au loto, mais bien évidemment ils n'étaient pas gagnants. Elle m'a dit qu'ils feraient de moi une millionnaire. Mais jusqu'à présent, ils ne fonctionnent pas et je n'ai rien gagné. »

Ce type de comportement superstitieux est plutôt inoffensif. Cependant, d'après certains malchanceux que j'ai interrogés, il arrive que la croyance en la superstition exerce une influence dramatique et négative sur le cours d'une vie.

C'est le cas de Paul, un vendeur de soixante-quinze ans à la retraite. À l'époque de son adolescence, Paul s'intéressa à la superstition. Dans un vieux livre sur l'astrologie, il découvrit que le chiffre qui lui portait chance était le trois. Paul décida de vérifier l'exactitude de cette information. Il se rendit sur un champ de courses, étudia la liste des chevaux qui couraient et paria sur ceux qui portaient le numéro trois. Il m'a raconté ce qui s'était passé :

> « À ma grande stupéfaction, trois de ces chevaux ont gagné et je suis reparti avec une grosse somme d'argent… l'équivalent d'une année de mon salaire. À l'époque, je me suis pris pour l'homme le plus chanceux de la Terre. Quand j'y repense, c'est l'événement le plus malchanceux de ma vie. En ce temps-là, j'étais très superstitieux et je me suis convaincu que le trois me portait vraiment bonheur. »

Les semaines suivantes, Paul paria à de nombreuses reprises sur des chevaux portant le numéro trois. Comme ils ne gagnaient pas, il se tourna vers les courses de lévriers. Soir après soir, il se rendait aux courses et pariait sur le chien portant le numéro trois dans la troisième course. Un mois lui suffit pour perdre son gain de départ. Mais au lieu de tirer une leçon de ses erreurs, Paul continua à fréquenter les champs de courses et à miser gros par superstition sur les chevaux et les chiens portant le numéro trois. Il développa même d'autres superstitions, telles qu'enfoncer une épingle « porte-bonheur » dans son ticket et parier sur le cheval ou le chien portant le numéro le plus proche du trou de l'épingle. Il se mit à perdre bien davantage d'argent qu'il n'en gagnait. Pour finir, sa passion du jeu eut des conséquences très néfastes, non seulement sur sa vie, mais sur celle de son entourage. Il reprit le magasin de sa grand-mère, et en quelques mois, perdit au jeu tous ses bénéfices et mena le magasin à la faillite. Quelques années plus tard, il se maria, eut son premier enfant et emménagea dans une maison neuve. Mais comme il continuait à perdre de grosses sommes, il devait trouver des moyens de rembourser ses dettes. On finit par saisir ses meubles et il fut éjecté de sa maison avec sa famille, pour loyer impayé. De nombreuses années plus tard, Paul est capable de porter un regard lucide sur sa vie et de voir comment sa superstition a fait le lit de sa malchance. Il continue à parier, mais se repose à présent davantage sur le raisonnement que sur des chiffres et des épingles « porte-bonheur ».

Ces entretiens ayant éveillé ma curiosité, j'ai effectué un sondage systématique des convictions de mes sujets qui relevaient de la superstition. Je leur ai demandé à tous de me dire s'ils considéraient que le chiffre treize portait malheur, s'ils se sentaient mal à l'aise lorsqu'ils brisaient un miroir et s'ils s'attendaient à un coup du sort négatif lorsqu'un chat noir traversait devant eux. Leurs réponses ont démontré que les malchanceux sont beaucoup plus superstitieux que les chanceux et corroboré, une fois de

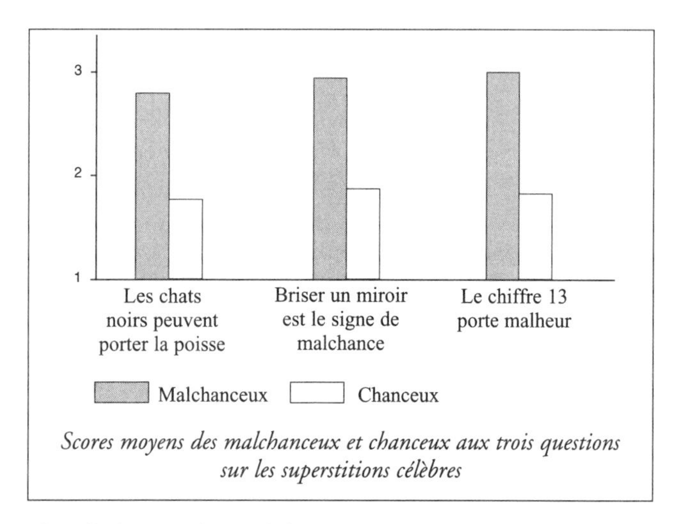

Scores moyens des malchanceux et chanceux aux trois questions sur les superstitions célèbres

plus, l'idée que les malchanceux ont tendance à se reposer sur des mesures inefficaces pour essayer d'agir sur le mauvais sort.

Mes entretiens ont par ailleurs prouvé que les chanceux s'y prennent de manière beaucoup plus constructive pour agir sur le mauvais sort. Plus tôt, j'ai évoqué la vie de Marvin, le détective privé. Comme beaucoup de chanceux, Marvin souligne l'importance qu'il accorde à la maîtrise des situations et à ses efforts pour renverser le mauvais sort éventuel :

> « Lorsque des gens disent qu'ils détestent leur travail, je leur réponds : "Si vous n'aimez pas votre job, quittez-le." Mais certains vous répliquent : "C'est impossible. Je n'aime pas mon travail mais je suis coincé, je suis malchanceux et il n'y en a pas d'autre." Je ne crois pas à ce genre de raisonnement. Je pense que quand on n'est pas satisfait de ce que l'on fait, il ne reste plus qu'à chercher activement à faire autre chose.

Car si on passe à une activité qu'on apprécie, on se sentira mieux et on fera aussi évoluer sa chance. »

Hilary, quarante-six ans, est une toxicologue de Berkeley, en Californie. Elle a subi nombre de coups du sort malheureux, mais elle s'estime très chanceuse :

« On ne peut pas dire que je trouve des sous dans la rue ou que je gagne au loto. Non, c'est plutôt que je n'ai jamais eu de problèmes avec les éléments importants de ma vie. Et j'ai remarqué que, presque toujours, les choses négatives qui me sont arrivées se sont transformées en quelque chose de positif.

« J'ai eu une enfance difficile, dramatique, j'étais entourée de personnes très égoïstes qui n'avaient pas de temps à consacrer à des enfants. Cette situation m'a contrainte à développer des qualités qui m'ont été utiles pendant toute ma vie. J'ai tendance à être très active et à ne pas mettre les événements négatifs au compte de la malchance. Dans ma vie, je prends les devants. J'agis, plutôt que de regarder les choses déraper. Ces premières années éprouvantes m'ont également aidée à savoir précisément ce que je veux de la vie.

« Lorsque j'ai entamé mes études de médecine, j'étais loin de faire des étincelles. Mais j'ai travaillé très dur et grâce à mes efforts, j'ai fait des progrès. Après mon diplôme, j'ai été acceptée comme interne dans de très bonnes facs comme Stanford, Yale, puis John Hopkins.

« Quand j'ai terminé mon internat en 1984, j'ai signé un contrat pour un poste de pathologiste dans un petit hôpital. J'ai rejeté beaucoup d'autres propositions. Une semaine avant de commencer, j'ai vendu une grande partie de mes meubles et fait transporter le reste chez moi. C'est alors que j'ai reçu un coup de fil

Histoire d'Emily

Emily, quarante ans, illustre peut-être mieux que quiconque comment on peut transformer le mauvais sort à son profit. Elle vient de Colombie-Britannique. Elle travaille aujourd'hui chez un éditeur de San Francisco. Emily est convaincue qu'une grande partie de sa chance émane d'événements négatifs de sa vie.

> « J'alterne entre les périodes très malchanceuses et très chanceuses. Comme si j'étais née avec un fer à cheval en fil barbelé sur les fesses. Lorsque j'étais petite, mes parents m'ont forcée à entrer chez les guides. Dans le hall de l'église où on se réunissait, il y avait une cloison très élevée mais facile à escalader. J'ai décidé de me donner en spectacle et de grimper dessus. Une fois au sommet, j'ai entendu que des clous s'en détachaient. J'avais l'impression d'être dans un film d'horreur. Quatre clous ont lâché et je suis tombée par terre. J'aurais pu être tuée net, mais je me suis juste fait une déchirure au pied. Je n'ai pas pu marcher pendant six mois, mais je ne suis pas morte. »

À l'âge de trente-deux ans, Emily travaillait dans une galerie d'art en Colombie-Britannique. Un soir où elle rentrait chez elle en bicyclette dans une ruelle sombre, une voiture sortit de l'obscurité, tous phares éteints, et se dirigea droit sur elle. Elle heurta l'avant de sa bicyclette, la renversa, roula sur sa tête et s'éloigna. Emily s'en tira avec de très graves blessures à la tête mais, là encore, transforma le mauvais sort à son avantage :

> « En Colombie-Britannique, c'est le gouvernement qui se charge des assurances automobiles, si bien que j'ai pu faire des poursuites, en dépit du fait que je n'avais pas le numéro d'immatriculation de la voiture. J'ai obtenu trente mille dollars canadiens. Cette somme m'a permis d'effectuer des changements dans ma vie auxquels je pensais depuis un certain temps. J'ai quitté le Canada pour les États-Unis où j'ai réussi à trouver un travail dans l'édition. Par conséquent, à partir de cette expérience où j'ai frôlé la mort, j'ai recommencé une nouvelle vie, un peu comme le Phénix renaît de ses cendres. »

Ce schéma d'événements s'est souvent reproduit dans la vie d'Emily. Elle a la malchance d'être poursuivie par le mauvais sort, mais elle parvient à en tirer un bénéfice.

« Au printemps dernier, je me suis cassé la rotule, et je n'avais pas d'assurance. J'avais le plus grand mal à marcher et j'ai dû utiliser une canne pendant cinq mois. Tout le monde me disait : "Mon Dieu, en plus vous vivez au troisième étage!" Et je leur répondais: "Ça va, je peux vraiment me reposer et ralentir pendant quelques mois. Vous voulez venir regarder un film?" Au lieu de gémir parce que je ne pouvais pas aller danser ou faire du vélo, je me réjouissais de ce que je pouvais faire.

« J'ai ma manière à moi de supporter ma malchance. Je me dis: "De deux choses l'une: tu peux rester là à ruminer ton problème ou alors réfléchir à ce que tu peux faire de positif à propos de ce coup du sort." Par le passé, ma malchance m'inquiétait tellement que je me réveillais la nuit, j'avais des nausées et je vomissais. Résultat, j'étais totalement inefficace le lendemain. Mais à présent, je la prends comme un processus de formation. Quand je me réveille en nage de panique, je me dis simplement: "Tu ne peux rien faire à quatre heures du matin, rien de ce que tu feras maintenant n'aura d'effet positif." Je respire donc à fond et je me rendors. Je laisse tomber.

« Certaines des choses les plus formidables qui me sont arrivées ont découlé des pires. En vieillissant, je prends moins de risques. Mais je m'inquiète quand même du fait que si je ne garde pas mon esprit aventureux, je perdrai peut-être les petits bénéfices qui en découlent. J'essaie donc de toutes mes forces de trouver un moyen positif de vivre des expériences, des aventures et de prendre les bons risques.

« La chance est ce qu'elle est. Les gens parlent de malchance ou de chance, mais pour moi, elle est ce qu'elle est. Il ne tient qu'à nous d'en voir le bon ou le mauvais côté. »

Exercice 14 : Votre profil chance : Quatrième principe

Il est temps de revenir au Questionnaire profil que vous avez rempli en page 18. Les critères 9, 10, 11 et 12 de ce questionnaire se rapportent aux sous-principes que nous venons d'évoquer. Le critère 9 évalue dans quelle mesure vous regardez le côté positif des événements qui vous arrivent, le 10 les distances que vous prenez par rapport au mauvais sort apparent, le 11 jusqu'à quel point vous ruminez vos échecs et le 12 dans quelle mesure vous essayez de tirer une leçon du mauvais sort passé.

Score :

Revenez aux notes que vous avez accordées à ces quatre critères, puis additionnez-les pour en obtenir un seul (voir exemple ci-dessous). Il s'agit de votre score au quatrième principe de la chance.

Données		*Votre note (1-5)*
9	J'ai tendance à voir le côté positif de tout ce qui m'arrive.	5
10	Je crois qu'à long terme, même les événements négatifs joueront en ma faveur.	4
11	Je ne suis pas du genre à ruminer les événements passés qui ne m'ont rien apporté de bon.	5
12	J'essaie de tirer une leçon de mes erreurs passées.	4
	Total du quatrième principe de la chance	**18**

Regardez à présent l'échelle ci-dessous, afin de découvrir si votre score entre dans la catégorie élevée, moyenne ou basse. Notez ce score et sa catégorie dans votre Journal de Chance, car ils prendront de l'importance lorsque nous aborderons les moyens de développer votre chance.

Scores bas	Scores moyens	Scores élevés
4 5 6 7 8 9 10	11 12 13 14 15 16	17 18 19 20
		X (sous 18)

18 = élevé

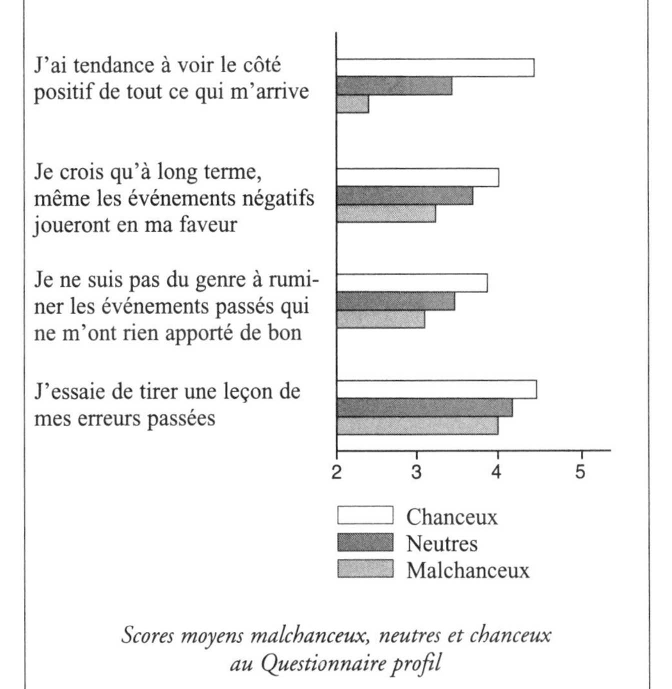

Scores moyens malchanceux, neutres et chanceux au Questionnaire profil

du directeur de l'hôpital. Il m'a appris qu'ils venaient d'être vendus à une entreprise gigantesque et que le contrat que j'avais signé était caduc car ils ne tenaient plus les rênes de l'établissement. Mon emploi et mon contrat étaient donc tombés à l'eau. Comme vous l'imaginez, j'étais bouleversée. J'ai alors remarqué qu'un hôpital de la Bay Area cherchait à recruter un toxicologue. Je n'avais jamais songé à changer de branche, mais je me suis présentée et on m'a proposé le poste. J'adore mon travail et aujourd'hui, je ne me vois pas en faire un autre. Rétrospectivement, je sais que je n'étais pas taillée pour être pathologiste, si bien que j'aurais été très malheureuse si j'avais suivi ce chemin. Par conséquent, un événement plutôt désastreux s'est transformé en aubaine. Ce genre de choses m'arrive tout le temps. »

Beaucoup de mes entretiens corroboraient également l'idée que les chanceux explorent des moyens inédits de résoudre leurs problèmes. Au chapitre précédent, j'ai décrit comment Jonathan a recours à la méditation pour développer son intuition sur son lieu de travail. Plus tôt dans ce chapitre, j'ai également évoqué le fait qu'il est capable de transformer le mauvais sort à son avantage et de ne pas s'accrocher aux événements désagréables qui lui arrivent. Jonathan m'a également raconté comment il persévère face à l'échec et aime trouver des solutions inédites à ses problèmes :

« Je suis quelqu'un de très insistant et d'extrêmement focalisé. Mon grand-père allemand avait une expression qui, traduite, signifie : “Dans notre famille, ça vient difficilement, mais ça finit par venir.” Je dis toujours aux enfants de ne jamais abandonner, de lutter, que ça arrivera. Je pense que mon grand-père m'a légué son attitude : s'il n'existe qu'une chance de 1 %, je ne lâche en général pas prise. Je suis aussi très souple. Je ne me considère pas comme quelqu'un de créatif dans le sens habituel du terme — je ne le suis ni musicalement, ni artistiquement, rien de tout ça. Mais j'ai pris la ferme décision d'essayer de raisonner par la bande et de ne pas faire preuve d'étroitesse d'esprit. J'adore le défi représenté par le fait d'être focalisé sur un problème, tout en essayant de le contourner pour lui trouver une solution. »

Les chanceux adoptent une attitude beaucoup plus constructive face au mauvais sort. Ils agissent, insistent et envisagent des solutions alternatives. Ces efforts combinés les aident à minimiser les occasions d'être de nouveau atteints par le mauvais sort.

J'ai fait remplir ce questionnaire à un grand nombre de chanceux, de neutres et de malchanceux durant mes recherches. Les chanceux obtiennent en général des scores beaucoup plus élevés que les autres sur ces quatre critères. Les malchanceux ont tendance à obtenir les scores les plus bas (voir graphique page 195).

Résumé du chapitre

Les chanceux ne sont pas nés avec un don magique pour transformer la malchance en chance. À la place, souvent à leur insu, ils ont recours à quatre techniques psychologiques pour vaincre le mauvais sort, voire même pour en tirer un grand profit. Pour commencer, ils imaginent que les choses auraient pu être pires et se comparent à plus malchanceux qu'eux. Puis ils prennent de la distance et assument que du bien sortira de leur malchance. En troisième lieu, ils ne ruminent pas les mauvais coups du sort. Pour finir, ils assument qu'ils peuvent agir sur eux — ils insistent, réfléchissent à des méthodes inédites de contourner le problème et tirent des leçons de leurs erreurs. L'ensemble de ces techniques explique leur faculté mystérieuse de supporter, voire même souvent de tirer profit de tous les mauvais coups du sort.

QUATRIÈME PRINCIPE : TRANSFORMER LE MAUVAIS SORT EN BONNE FORTUNE

Les chanceux sont capables de transformer le mauvais sort en bonne fortune.

Sous-principes

1 : Les chanceux voient le bon côté de leur malchance.

2 : Les chanceux sont convaincus que tout mauvais coup du sort finira par déboucher sur quelque chose de positif.

3 : Les chanceux ne ruminent pas leur mauvais sort.

4 : Les chanceux prennent des mesures constructives pour à l'avenir échapper au mauvais sort.

Résumé

Les quatre principes et douze sous-principes de la chance

Premier principe :
tirer le maximum des occasions fortuites

Les chanceux créent et remarquent les occasions fortuites et en tirent profit.

Sous-principes :

1 : Les chanceux bâtissent et gardent un solide « réseau de chance ».

2 : Les chanceux ont une attitude détendue à l'égard de la vie.

3 : Les chanceux sont ouverts aux expériences nouvelles.

Deuxième principe :
écouter son intuition

Les chanceux prennent des décisions positives en se fiant à leur intuition et à leur instinct.

Sous-principes :

1 : Les chanceux écoutent leur « voix intérieure ».

2 : Les chanceux prennent des mesures pour développer leur intuition.

TROISIÈME PRINCIPE : ATTENDRE LA BONNE FORTUNE

Les chanceux nourrissent des attentes qui les aident à remplir leurs rêves et leurs ambitions.

Sous-principes :

1 : Les chanceux s'attendent à ce que la chance continue à leur sourire.

2 : Les chanceux essaient de réaliser leurs objectifs, même si les probabilités d'y parvenir sont minces, et ils persévèrent devant l'échec.

3 : Les chanceux s'attendent à avoir des relations fructueuses et profitables avec les autres.

QUATRIÈME PRINCIPE : TRANSFORMER LE MAUVAIS SORT EN BONNE FORTUNE

Les chanceux sont capables de transformer le mauvais sort en bonne fortune.

Sous-principes :

1 : Les chanceux voient le bon côté de leur malchance.

2 : Les chanceux sont convaincus que tout mauvais coup du sort débouchera sur quelque chose de positif.

3 : Les chanceux ne ruminent pas leur mauvais sort.

4 : Les chanceux prennent des mesures constructives pour échapper à l'avenir au mauvais sort.

III
Créer une vie plus chanceuse

« La chance d'avoir du talent ne suffit pas ; on doit avoir également le talent d'avoir de la chance. »

Hector Berlioz

« Je pense que la plupart des personnes qui pratiquent une forme d'art se demandent en secret si c'est parce qu'ils sont doués ou parce qu'ils ont de la chance. »

Katharine Hepburn

7
L'ÉCOLE DE LA CHANCE

Au cours de mes recherches, j'ai effectué un grand nombre d'expériences, procédé à des centaines d'entretiens et fait remplir des milliers de questionnaires. Je suis parvenu à dévoiler le fonctionnement de la chance. En fait, il ne s'agit ni d'un talent magique ni d'un don divin, mais d'un état d'esprit. D'une manière de réfléchir et de créer. Nous ne naissons pas chanceux ou malchanceux. Ce sont nos réflexions, nos sentiments et nos actes qui forgent une grande partie de notre chance ou de notre malchance. Ce secret, c'est que quatre principes psychologiques fort simples permettent de comprendre pourquoi une vie est éclairée par la chance. Le premier de ces principes explique comment la personnalité des chanceux les aide, soit à créer, soit à remarquer les occasions favorables et à en tirer profit. Le deuxième comment leurs décisions heureuses tournent autour d'un désir d'écouter leur intuition et de se fier à leurs bons pressentiments. Le troisième comment leurs attentes à propos de l'avenir possèdent le pouvoir de se transformer en prédictions qui se réalisent et permettent à leurs rêves de se concrétiser. Le quatrième et dernier principe se rapporte à la manière dont la persévérance des chanceux peut transformer la malchance en bonne fortune.

Cependant, plus j'analysais les résultats de mes recherches, plus j'étais convaincu qu'une pièce du puzzle manquait encore. La psychologie ne s'arrête pas à la compréhension du mode de réflexion, des sentiments et des comportements des individus. Elle concerne également souvent leur évolution et leurs transformations ainsi que la manière d'aider les gens à vivre des vies plus heureuses et plus satisfaisantes. Les quatre principes que j'avais découverts pouvaient-ils être utilisés pour faire fructifier la chance? Était-il possible, non seulement d'expliquer la chance, mais de la créer?

Cela fait des siècles que les êtres humains essaient de trouver un moyen efficace de développer leur chance. On trouve porte-bonheur, amulettes et talismans dans pratiquement toutes les civilisations recensées à travers l'histoire. Le geste de toucher le bois remonte à des rituels païens destinés à obtenir l'aide de dieux sylvestres bons et puissants. On considère que le chiffre treize porte malchance parce qu'il y avait treize convives à la table de la Cène. Une échelle posée contre un mur forme un triangle naturel qui est considéré comme un symbole de la sainte-trinité. En marchant sous cette échelle, on rompt cette Trinité et cela provoque le mauvais sort.

Beaucoup de ces croyances et comportements ont perduré jusqu'à nous. Certains joueurs pensent encore que la chance sera de leur côté s'ils coupent les cartes de la main droite où s'ils soufflent sur les dés avant de les jeter. Les acteurs sont souvent convaincus que souhaiter bonne chance à leurs confrères, siffler en coulisses ou prononcer les dernières phrases d'une pièce pendant les répétitions les empêchera d'avoir du succès. Les sportifs sont également très superstitieux. Des recherches auprès de joueurs de base-ball canadiens universitaires ont démontré que 90 % d'entre eux pratiquent une espèce de rituel de superstition, tandis que 80 % estiment essentiel d'effectuer un dernier panier à l'échauffement et 75 % disent qu'ils font rebondir la balle un nombre fixe de fois avant un lancer franc. Certains des étudiants américains les plus brillants ne semblent pas immunisés contre ce genre de comportement. De nombreux étudiants de Harvard reconnaissent qu'ils touchent la statue porte-bonheur de John Harvard avant leurs examens, tandis que ceux du Massachusetts Institute of Technology essaient de courtiser la fortune en allant frotter leur nez contre une plaque de bronze représentant l'inventeur George Eastman.

En 1996, l'institut de sondages Gallup demanda à 1 000 Américains s'ils étaient superstitieux. 53 % répondirent qu'ils l'étaient au moins un petit peu et 23 % qu'ils l'étaient assez ou beaucoup. Un autre sondage révéla que 72 % des personnes interrogées disaient posséder au moins un porte-bonheur. On a de bonnes raisons de penser que ce niveau avoué de superstition ne représentait que le sommet de l'iceberg, car des recherches tendent à prouver que beaucoup de personnes répugnent à reconnaître qu'elles s'adonnent à la superstition. Par exemple, des sondages ont démontré que seulement 12 % des personnes admettent qu'elles évitent de passer sous une échelle dans la rue. Un chercheur britannique s'est demandé si ces chiffres correspondaient véritablement aux convictions et aux comportements des individus dans le domaine de la superstition. Pour en avoir le cœur net, il a placé une échelle contre un mur dans un quartier très fréquenté et s'est aperçu avec stupéfaction que 72 % des piétons prenaient le risque de marcher sur la chaussée pour éviter de passer dessous. Mais le tribut le plus original au pouvoir de la superstition émane peut-être du Trésor américain. En 2002, il décida d'organiser une vente spéciale de billets de 1 dollar porteurs de numéros de série « porte-bonheur », tels que ceux comprenant trois sept. Ces billets étaient accompagnés d'un message qui disait : « Que ce dollar porte-bonheur vous apporte réussite et chance. » Et le prix de ces billets de 1 dollar « porte-bonheur »? Cinq dollars!

Les superstitions se transmettent de génération en génération. Nos parents nous en ont parlé et nous en parlons à nos enfants qui les adoptent à leur tour. Mais pour quelle raison perdurent-elles ? La réponse repose dans le pouvoir de la chance. À travers l'histoire, les hommes se sont rendu compte que la chance ou la malchance peuvent transformer leur vie. Que quelques secondes de malchance suffisent à gâcher des années d'effort, tandis que quelques instants de veine peuvent sauvegarder des années de rude labeur. La superstition témoigne des efforts des êtres humains pour maîtriser et développer des facteurs qui nous échappent. Quant à la persistance de ces convictions et comportements superstitieux, elle prouve jusqu'où les hommes sont prêts à aller pour avoir davantage de chance. En résumé, les superstitions ont été inventées, et ont survécu, parce qu'elles promettent ce plus élusif des Graal : une manière de développer la bonne fortune.

Reste un problème : la superstition est inopérante. Dans le chapitre précédent, j'ai expliqué que c'était les malchanceux, et non les chanceux, qui avaient tendance à adopter des comportements superstitieux. Plusieurs autres chercheurs se sont penchés sur la validité de ces vieilles croyances et ont noté leur inefficacité. Mon expérience préférée dans ce domaine est une étude assez originale menée par un lycéen, Mark Levin, auprès de deux sujets. Dans certains pays, on considère qu'un chat noir qui traverse devant soi est un signe de chance ; dans d'autres, un signe de malchance. Levin voulait savoir si la chance souriait vraiment davantage à ses sujets lorsqu'un chat noir traversait devant eux. Pour le découvrir, il leur a demandé de jouer, tout simplement, à pile ou face. Puis il a fait passer un chat noir devant eux, et les a fait jouer à pile ou face une seconde fois. Pour « contrôler » la situation, Levin a réitéré l'expérience avec un chat, non pas noir, mais blanc. Après avoir recommencé à maintes reprises et fait traverser des chats à l'envi, il est parvenu à la conclusion que ni le chat noir ni le chat blanc n'exerçaient la moindre influence sur la chance de ses sujets.

Si la superstition ne fonctionne pas, c'est parce qu'elle est basée sur un raisonnement dépassé et erroné. Elle émane d'une époque où les individus voyaient dans la chance une force mystérieuse, susceptible d'être maîtrisée par des rituels magiques et des comportements bizarres. Mes recherches ayant révélé qu'une vie éclairée par la chance repose sur des secrets bien précis, je me suis demandé si je pouvais me servir de ces derniers pour augmenter la chance des uns et des autres. Était-il possible de transformer des malchanceux en chanceux ? Était-il concevable de développer encore la chance des chanceux ?

Le soir du nouvel an 1999, je me tenais sur les rives de la Tamise, au milieu d'une foule de dizaines de milliers de Londoniens rassemblés pour fêter le nouveau millénaire. Alors que minuit allait sonner, je me suis dit que le moment était venu d'étudier de façon plus scientifique cette question qui intriguait les êtres humains depuis des milliers d'années. Je voulais voir si l'on pouvait concevoir des méthodes inédites pour les aider à avoir davantage de chance. Le genre de techniques auxquelles je pensais ne consisterait pas à croiser les doigts, toucher du bois ou éviter des échelles. À la place, mes sujets seraient encouragés à incorporer les quatre principes de la chance dans leur vie. Il était temps de les inciter à sortir les porte-bonheur de leurs poches pour les greffer sur leur esprit.

J'ai donc décidé de me lancer dans un projet destiné à augmenter la chance des êtres humains en les amenant à réfléchir et à se conduire comme une personne chanceuse. La fréquentation de l'« École de la Chance » allait permettre de voir s'ils parvenaient à accroître leur chance. J'ai conçu douze techniques faciles à incorporer dans notre vie quotidienne. Chacune repose sur un sous-principe spécifique de la chance. De plus, j'ai également conçu des exercices pour faciliter ce travail. Certains d'entre eux reposent sur des méthodes bien connues qui permettent de modifier le raisonnement et le comportement des individus, d'autres sont totalement inédits.

Mon projet se divisait en deux parties. Au cours de la première, j'ai rencontré mes sujets un à un, afin de leur expliquer la nature plutôt inhabituelle de cette entreprise. Je leur ai également remis un « Journal de Chance » contenant nombre des questionnaires et exercices dont vous avez déjà pris connaissance dans ce livre. Puis je leur ai demandé de remplir trois questionnaires. Le premier était le Questionnaire profil, en page 18. Ils devaient noter dans quelle mesure ils étaient ou non d'accord avec des critères se rapportant aux sous-principes de la chance. Le deuxième était celui de l'Indice de satisfaction de vie, en page 50. Ils devaient évaluer dans quelle mesure ils étaient satisfaits de leur vie en général et de cinq domaines plus spécifiques, leur vie de famille, leur vie personnelle, leur situation financière, leur santé et leur carrière. Le troisième était le Questionnaire de la Chance, en page 47. Il leur fournissait des descriptions de chanceux et de malchanceux typiques et leur demandait de noter dans quelle mesure ces descriptions leur correspondaient. Si vous avez effectué les exercices proposés jusqu'ici, vous avez déjà rempli ces trois questionnaires. Le questionnaire sur la chance et celui sur l'indice de satisfaction de vie me permettaient de voir clairement à quel niveau mes sujets se situaient avant d'incorporer les principes de la chance à leur vie.

Quand ils ont eu rempli les questionnaires, je leur ai demandé de me parler du rôle de la chance dans leur vie. Nous avons bavardé de toutes sortes de sujets : se considéraient-ils chanceux ou malchanceux, la chance affectait-elle vraiment des domaines précis de leur vie, étaient-ils extravertis, intuitifs, et ainsi de suite. Je les ai également priés d'effectuer un grand nombre des exercices présentés au cours du livre, tels que « Réfléchissez au mauvais sort » (page 166) et « Attitudes à l'égard du mauvais sort » (page 181).

Pour finir, je leur ai décrit les quatre principes et les douze sous-principes de la chance et je leur ai expliqué comment les chanceux les appliquent pour inciter la chance à leur sourire. Comment leur personnalité les aide à créer et remarquer des occasions favorables et à en tirer profit (Premier principe). Comment leurs décisions heureuses tournent autour de leur volonté d'écouter leur intuition et de faire confiance à leurs pressentiments (Deuxième principe). Comment les attentes qu'ils nourrissent à propos de l'avenir se transforment en prédictions qui se réalisent, les aidant à concrétiser leurs rêves (Troisième principe). Enfin, comment leur persévérance face au mauvais sort les aide à le transformer en bonne fortune (Quatrième principe). J'ai souligné brièvement à leur intention les théories sur lesquelles repose chacun de ces quatre principes, que j'ai illustrés à l'aide d'extraits de mes entretiens avec des chanceux et des malchanceux et du résultat de mes sondages et expériences. Bref, je leur ai présenté un résumé des informations dont vous avez déjà pris connaissance au fil de votre lecture.

Dans la seconde partie de mon projet, j'ai rencontré chaque participant, là encore un par un, environ une semaine après notre premier entretien. Je leur ai expliqué les techniques qui les aideraient à se conduire et à réfléchir comme s'ils étaient chanceux, et je leur ai demandé de les incorporer à leur vie au cours du mois suivant. Il s'agissait là, à bien des égards, de l'aspect le plus important de l'École de la Chance. Afin de vous éclairer sur la manière dont cette partie du projet a été structurée, nous allons faire, dans le prochain chapitre, comme si vous en étiez un des participants.

8
APPRENDRE À ÊTRE CHANCEUX

Bienvenue à l'École de la Chance! Merci d'avoir accepté de prendre part à ce projet. Dans cette session, je vais souligner quelques-unes des techniques qui vous aideront à réfléchir et à vous conduire comme une personne chanceuse. J'aimerais que vous incorporiez ces techniques à votre vie dans le mois qui vient, afin de voir si elles augmentent votre chance. Le cours d'aujourd'hui est divisé en cinq parties que nous allons aborder les unes après les autres.

PREMIÈRE ÉTAPE : LA DÉCLARATION

Dans la première étape de ce processus, vous allez signer une « déclaration de chance », par laquelle vous affirmez simplement votre intention d'essayer d'incorporer une partie de ces techniques à votre vie d'ici un mois. Cette déclaration repose autour d'une question simple: êtes-vous prêt à investir une somme de temps et d'efforts raisonnable pour augmenter votre chance? Si votre réponse est « non », il ne sert à rien d'aller plus loin. Je ne dispose pas de baguette magique que je puisse agiter pour vous rendre plus chanceux. Les choses ne fonctionnent pas ainsi. Si vous êtes toutefois prêt/e à essayer au moins d'effectuer des changements dans vos modes de raisonnement et de comportement, j'aimerais que vous copiiez la phrase suivante sur une page vierge de votre Journal:

« Je veux augmenter la chance que j'ai dans la vie et je suis prêt/e à essayer d'effectuer les changements nécessaires dans mes modes de raisonnement et de comportement. »

À présent, signez cette déclaration.

Merci.

DEUXIÈME ÉTAPE : CRÉATION DE VOTRE PROFIL CHANCE

Au cours de votre lecture, vous avez répondu au Questionnaire profil (voir page 18) et calculé votre score aux quatre parties de ce questionnaire (voir la fin des chapitres 3, 4, 5 et 6). Revenez à ces quatre scores et complétez le tableau ci-dessous sur une nouvelle page de votre Journal de Chance. J'ai inclus un exemple de tableau qui illustre comment devrait se présenter votre tableau final.

Principe	*Votre score*	*Bas/moyen/élevé*
1 Tirer le maximum des occasions fortuites.		
2 Écouter son intuition.		
3 Attendre la bonne fortune.		
4 Transformer le mauvais sort en bonne fortune.		

Exemple :

	Principe	*Votre score*	*Bas/moyen/élevé*
1	Tirer le maximum des occasions fortuites.	12	*élevé*
2	Écouter son intuition.	3	*bas*
3	Attendre la bonne fortune.	11	*moyen*
4	Transformer le mauvais sort en bonne fortune.	18	*élevé*

Ce tableau vous permet de constater, rapidement et clairement, quels scores vous obtenez aux quatre principes sur lesquels repose une vie chanceuse. Il vous aide également à voir quels sont ceux que vous avez tendance à ne pas incorporer à votre vie quotidienne. Lorsque vous essaierez de faire évoluer votre chance, ces renseignements vous aideront à vous concentrer sur les domaines que vous devez travailler.

TROISIÈME ÉTAPE : INCORPORER CES TECHNIQUES À VOTRE VIE

Voici les techniques et exercices destinés à vous faire adopter le raisonnement et le comportement d'une personne chanceuse. Concentrez-vous sur ceux qui se rapportent au ou aux principes que vous avez besoin d'appliquer plus sérieusement dans votre vie. En les lisant, réfléchissez à des moyens de les appliquer au cours des quatre semaines à venir.

PREMIER PRINCIPE :
TIRER LE MAXIMUM DES OCCASIONS FORTUITES

Utilisez les techniques et exercices suggérés ci-dessous pour augmenter la probabilité de créer et remarquer les bonnes occasions et d'en tirer profit.

1. Bâtissez et conservez un solide « réseau de chance ».

Songez à Robert, cet ingénieur en aéronautique, qui ne cesse de tomber sur des gens qui exercent une influence heureuse sur sa vie. Le secret de Robert? Il apprécie la compagnie des autres. Il consacre beaucoup de temps à voir ses amis, à assister à des réceptions, à bavarder avec des inconnus dans les queues des grandes surfaces. Et plus il rencontre de personnes, plus il augmente la probabilité de tomber sur une occasion « heureuse ». De plus, les individus comme lui possèdent une espèce de « magnétisme social », émanant d'un langage corporel attirant. Pensez davantage à votre propre langage corporel sur votre lieu de travail et dans votre vie sociale. Prenez l'habitude de sourire. Faites-le lorsque vous êtes en présence d'une connaissance où d'une personne avec laquelle vous aimeriez établir un vrai contact. N'essayez pas de faire semblant en affichant un faux sourire. Pensez plutôt à ce que vous ressentez vraiment. D'autre part, forcez-vous à adopter une posture « ouverte ». Décroisez vos bras et vos jambes et gardez vos mains loin de votre visage. Soyez le premier à établir un contact visuel chaleureux et à le maintenir. Ouvrez-vous et amusez-vous à essayer d'attirer les gens. Pour finir, n'oubliez pas que les chanceux consacrent beaucoup d'efforts à garder des liens avec les personnes qu'ils rencontrent. Souvenez-vous de Kathy, qui se qualifie de « collectionneuse de gens » et qui est capable de rassembler cinquante amis à son dîner d'anniversaire. Je veux que vous fassiez la même chose qu'eux. Accomplissez un véritable effort pour entrer en relation avec davantage de personnes, servez-vous de votre langage corporel pour les attirer vers vous, restez en contact avec vos amis et vos collègues.

SUGGESTIONS D'EXERCICES

Établissez quatre contacts

Chaque semaine du mois qui vient, j'aimerais que vous entamiez une conversation avec au moins une personne que vous connaissez mal, voire pas du tout. Alors que les chanceux n'éprouvent aucune difficulté à bavarder avec des inconnus, il n'en va pas de même de la plupart d'entre nous. Voici quelques trucs qui vous faciliteront la tâche :

• N'essayez pas de bavarder avec des personnes qui vous mettent mal à l'aise. Ne tentez au contraire de le faire qu'avec celles que vous trouvez affables et abordables.

• Essayez d'éviter que votre manœuvre d'approche ait l'air artificielle et coincée. Profitez plutôt d'une occasion naturelle pour vous lancer, tel que le fait de vous trouver à côté de quelqu'un dans une queue, dans la même section d'une librairie, ou d'être assis sur le siège voisin dans un moyen de transport.

• Pour briser la glace, demandez un renseignement ou de l'aide à cette personne. Dans un magasin, vous pouvez lui demander s'il/elle en connaît l'heure de fermeture, dans la rue, s'il/elle aurait l'amabilité de vous indiquer votre chemin ou un bon restaurant. Par ailleurs, focalisez-vous sur un détail de cette personne qui vous plaît ou vous intéresse et commentez-le. Dans une réception, vous pouvez par exemple lui demander où elle a acheté le pull qu'elle porte et que vous trouvez très chic. Dans un café, vous pouvez lui demander si elle apprécie le livre qu'elle est en train de lire et que vous songez à vous procurer depuis un bon moment. Posez des questions ouvertes, et non fermées. On peut répondre aux questions « fermées » d'un simple « oui » ou « non », si bien qu'elles n'encouragent pas la conversation. Les questions ouvertes exigent des réponses plus détaillées, plus longues, si bien qu'elles servent souvent de tremplin naturel à la poursuite d'une conversation. C'est ainsi que « Aimez-vous Tolkien ? » est une question fermée, alors que « Que pensez-vous de Tolkien ? » est une question ouverte.

• Si votre interlocuteur réagit avec amabilité, développez votre entrée en matière. Précisez-lui pourquoi vous avez besoin de connaître l'heure de fermeture de la boutique, pourquoi vous voulez savoir comment vous rendre à un endroit donné ou pourquoi vous songez à lire tel livre. Si vous sympathisez vraiment, proposez-lui de la/le revoir. N'ayez pas peur d'être direct/e, contentez-vous de lui demander si cela lui plairait de prendre un café en votre compagnie, ou alors voyez si vous ne pouvez pas l'inviter à une réception ou à une séance de cinéma avec des amis.

• Avant tout, ne craignez pas d'être rejeté/e. Vos premières tentatives ne consisteront peut-être qu'en un bref échange de paroles et rien de plus. Ne prenez pas un rejet à cœur. Cette personne était peut-être préoccupée ou n'avait tout simplement pas envie de bavarder. Continuez, au contraire. Le monde fourmille de gens et beaucoup seront enchantés que vous fassiez l'effort de converser avec eux.

• Lancez-vous et constatez la différence.

Jouez au contact

Chaque semaine, j'aimerais que vous rétablissiez le contact avec quelqu'un que vous n'avez pas vu depuis un certain temps. Beaucoup de personnes trouvent cela difficile. Voici quelques conseils qui vous faciliteront la tâche :

Parcourez votre carnet d'adresses et dressez la liste et les numéros de téléphone de tous ceux à qui vous n'avez pas parlé depuis un bon moment. Que cette liste soit le plus exhaustive possible. Puis jouez chaque semaine au « Jeu du contact de dix minutes ». Accordez-vous dix minutes pour parler à l'une des personnes figurant sur cette liste. Choisissez-en une, soulevez le combiné et appelez-la. Si elle répond, bavardez avec elle, expliquez-lui que vous culpabilisez de ne pas avoir maintenu le contact, demandez-lui des nouvelles de sa santé et de sa vie. Si vous n'obtenez pas de réponse à votre appel, rabattez-vous vite sur un autre candidat de votre liste et appelez-le. Vous avez dix minutes pour parler à quelqu'un à qui vous n'avez pas parlé depuis un certain temps. Le compte à rebours commence tout de suite.

2. Adoptez une attitude plus détendue à l'égard de la vie.

Comme nous l'avons vu au chapitre 3, les inquiets ont tendance à avoir un rayon d'attention très étroit, si bien qu'ils ne remarquent pas les occasions alentour. Repensez à l'expérience du journal que je vous ai racontée tout à l'heure. Rappelez-vous que tous les participants ont raté une occasion de gagner cent euros parce qu'ils étaient trop focalisés sur le calcul du nombre d'images. Grâce à leur plus grande décontraction, les chanceux remarquent davantage de choses. De plus, il ne s'agit pas seulement de la manière de regarder, mais de l'endroit où on porte le regard. Vous avez noté que les chanceux ont tendance à remarquer des occasions dans les journaux et les magazines. Toute la vie de Lynne a changé parce qu'elle a prêté attention à un article sur une dame qui avait gagné des prix dans des concours. D'autres chanceux m'ont parlé des occasions importantes qui avaient retenu leur attention alors qu'ils surfaient sur Internet ou qu'ils écoutaient la radio. J'aimerais que vous incorporiez ces techniques à votre vie : soyez plus détendu et ouvert aux nombreuses occasions qui se présentent à vous quotidiennement. Essayez de regarder le monde avec des yeux d'enfant, sans attentes spécifiques et sans préjugés. Voyez la réalité au lieu de ce que vous aimeriez voir. Détendez-vous. Amusez-vous. Soyez créatif. Ne laissez pas vos attentes limiter votre vision. Si vous vous rendez dans une réception en ne pensant qu'à rencontrer le compagnon/la compagne idéal/e, vous risquez de rater une occasion de vous faire un ami pour la vie. Souvenez-vous que vous êtes entouré d'occasions. Il s'agit simplement de regarder au bon endroit et de voir ce qui s'y trouve.

SUGGESTION D'EXERCICE

Détendez-vous et passez à l'acte

Nombre de chanceux déclarent qu'ils ont recours à diverses formes de relaxation pour diminuer leur stress. L'exercice suivant est l'un des plus efficaces. Il vous aidera à adopter une attitude plus décontractée. Effectuez-le tout de suite, puis répétez-le chaque fois que vous sentez l'inquiétude vous gagner.

• Pour commencer, trouvez une pièce ou un endroit tranquille. Ensuite, fermez les yeux et respirez plusieurs fois à fond. Imaginez à présent une scène apaisante. Peut-être êtes-vous allongé sur une plage baignée de soleil. Peut-être traversez-vous une clairière aux ombres bienfaisantes par une chaude journée d'été. Peut-être contemplez-vous un lac sans une ride. Construisez mentalement cette scène qui vous rend calme et heureux. Imaginez-la pour de bon. Imaginez que vous vous remplissez de tous les aspects de votre environnement. Pas seulement de ce que vous avez envie de voir et d'entendre, mais de tout ce qui est là. Les sons, les formes, les couleurs, les odeurs.

• Imaginez à présent que votre tension physique s'écoule goutte à goutte vers le bas de votre corps et ressort par vos pieds et vos mains. Commencez par la tête. Détendez les muscles de votre visage au fur et à mesure que la tension se dissipe. À présent, remuez doucement la tête de droite à gauche, puis de haut en bas. Laissez vos épaules se détendre et se libérer. Remuez doucement les bras et les mains et imaginez que la tension s'échappe par le bout de vos doigts. Prenez une autre inspiration profonde et détendez le haut de votre corps. Remuez doucement vos jambes et imaginez qu'elles se décontractent complètement. Passez quelques instants à laisser cette sensation de calme absolu se déplacer dans votre corps.

• Pour finir, rouvrez lentement les yeux pour revenir à la réalité. Pensez à ce que vous ressentez, à présent que vous avez effectué cet exercice. À cette impression d'être beaucoup plus détendu/e et ouvert/e. Cette attitude revêt une importance capitale. C'est un état puissant qui sera bénéfique à votre corps, votre esprit et votre chance. Plus vous répéterez cet exercice, plus vous atteindrez rapidement cette décontraction et cette ouverture.

Par conséquent, chaque fois que vous vous sentez stressé et inquiet, prenez le temps de l'effectuer. Vous serez sidéré par les résultats que vous obtiendrez.

3. Soyez ouvert aux nouvelles expériences.

De nombreux chanceux augmentent la probabilité de saisir des occasions en se montrant ouverts aux expériences nouvelles. Dans le chapitre 3, j'ai raconté comment Kathy fait ses courses dans plusieurs grandes surfaces, teste sans arrêt de nouveaux produits et ne part jamais deux fois au même endroit en vacances. D'autres emprunteront des itinéraires différents pour se rendre à leur travail et iront jusqu'à s'amuser à prendre des décisions en se fiant au hasard des dés. Souvenez-vous de la comparaison avec la cueillette des pommes dans un verger, qui explique comment ce type de comportement augmentera rapidement le nombre des occasions qui se présentent à vous. Introduisez ce genre de techniques dans votre vie et constatez le résultat. Soyez ouvert à de nouvelles expériences, modifiez vos routines et envisagez même de prendre des décisions mineures en vous en remettant aux dés. Rendez-vous dans de nouveaux coins du verger pour voir combien de pommes vous pourrez récolter!

◗ SUGGESTION D'EXERCICE

Jouez aux dés

• Dressez une liste de six nouvelles expériences, des choses que vous n'avez encore jamais faites mais que vous aimeriez bien tenter. Certaines de ces expériences peuvent être très simples, comme goûter à un plat inédit ou vous rendre dans un nouveau restaurant. D'autres peuvent relever davantage de l'aventure, comme faire du saut à l'élastique ou du kart. Certaines peuvent être volontairement futiles, comme effectuer un tour de manège ou aller au zoo. D'autres peuvent exiger de vous un effort prolongé, comme apprendre une nouvelle langue, fréquenter un cours du soir, suivre des cours de gymnastique ou vous impliquer dans le bénévolat. Vous pouvez en choisir d'autres parce qu'elles repoussent les limites de votre zone de confort : par exemple, prendre des leçons de natation parce que vous craignez l'eau depuis toujours. Ou alors, optez pour une expérience qui remplira un désir que vous nourrissez depuis longtemps : si vous avez rêvé de faire partie d'un cirque, pourquoi ne pas vous inscrire à un stage de clowns d'un week-end ?

• Dressez une liste de ces expériences et numérotez-les de 1 à 6. Prenez ensuite un dé. Le moment vraiment important va sonner. Vous devez vous faire une promesse. Vous devez vous jurer qu'une fois le dé jeté, vous accomplirez l'expérience qu'il vous indiquera. Vous n'êtes autorisé ni à intervertir une expérience ni à reculer. Cependant, vous avez peut-être envie d'effectuer un retour en arrière pour modifier une des expériences envisageables. Je vous l'accorde. Mais une fois que vous aurez dressé votre liste définitive, vous devrez lancer le dé et effectuer l'expérience qu'il vous indiquera.

• À présent, dressez votre liste, jetez le dé et profitez pleinement de votre expérience.

DEUXIÈME PRINCIPE : ÉCOUTER SON INTUITION

Utilisez les techniques suivantes pour augmenter le nombre de décisions heureuses que vous prenez en vous fiant à votre instinct et à vos pressentiments.

1. Écoutez votre « voix intérieure ».

Repensez au sondage que j'ai effectué sur la chance et l'intuition. Il révélait que les chanceux font confiance à leur intuition et que leurs décisions ne cessent de s'avérer payantes. Souvenez-vous de la manière dont Lee, le directeur du marketing, obtint une énorme commande en suivant son instinct à propos d'un client. Et de celle dont l'intuition d'Eleanor, au sujet du motard qui s'était garé à côté de sa voiture, lui sauva la vie. Les malchanceux sont à l'opposé : ils décrivent souvent comment ils ne suivent pas leur instinct et regrettent par la suite leur décision. À l'image de Marilyn et Dorothy, qui vécurent des relations épouvantables, en dépit de leur « voix intérieure » qui leur hurlait de quitter leur compagnon. Écoutez votre voix intérieure et examinez posément ce qu'elle essaie de vous dire. Traitez-la comme une sonnette d'alarme, une raison de faire une pause pour analyser une situation ou une décision en toute sérénité.

Suggestions d'exercices

Rendez visite au vieil homme dans sa caverne

Il vous arrivera d'avoir à prendre une décision et de vouloir écouter votre voix intérieure, afin d'étudier les différentes options qui se présentent à vous. Lorsque cela se produira, essayez l'exercice suivant :

• Choisissez une pièce tranquille et un siège confortable. Imaginez que, par magie, vous êtes transporté dans une montagne lointaine, à l'entrée d'une caverne. Vous pénétrez dans la caverne et éprouvez subitement un sentiment de détente et de plénitude. Vous vous y sentez en sécurité, totalement isolé/e du monde extérieur. Serein/e et en paix. Imaginez qu'un vieil homme est assis dans un angle de la caverne. Il vous invite à vous asseoir face à lui et à lui exposer chacune de vos options. Mais il ne souhaite pas que vous les évoquiez en termes de chiffres et de faits. De gain et de perte. De logique et de raison. Il ne veut pas non plus entendre parler des conseils que vous donnent des tiers, ni de ce que vous estimez avoir à accomplir par devoir. Non, il veut que vous lui expliquiez ce que chacune de ces options vous inspire. Ce qui vous apparaît comme adéquat ou inadéquat. Cette conversation restera complètement confidentielle, si bien que vous pourrez lui ouvrir votre cœur. Ne réfléchissez pas. Contentez-vous de lui dire ce que vous avez à lui dire. Tout de suite. À voix haute. Racontez à ce vieillard ce que vous ressentez. À présent, ouvrez lentement les yeux.

• Qu'avez-vous dit à propos de vos options ? Laquelle vous semble bonne ? Comment cette impression s'accorde-t-elle avec vos critères de choix objectifs ?

• Si vos critères et vos impressions sont en harmonie, vous avez choisi la bonne option. Si une option vous inspire un malaise, en dépit du fait que les critères de choix suggèrent qu'elle est bonne, mieux vaut la soupeser de nouveau. Prenez le temps de réfléchir posément avant d'aller plus loin. Peut-être déciderez-vous de ne pas tenir compte des critères et de suivre votre intuition. Peut-être choisirez-vous d'ignorer votre intuition et de vous en remettre aux critères. Quelle que soit votre décision, vous aurez au moins pris le temps d'écouter votre voix intérieure.

Prenez la décision, puis marquez un temps d'arrêt

Pour découvrir ce que vous inspirent vraiment vos options, choisissez-en une et rédigez votre décision sur un papier. Par exemple, si vous n'êtes pas tout à fait sûr/e de vouloir mettre un terme à une relation amoureuse, écrivez une lettre à votre compagne/compagnon pour lui expliquer que tout est terminé. Si vous n'êtes pas persuadé de vouloir quitter votre emploi, faites comme si vous y étiez fermement résolu et rédigez votre lettre de démission. À présent, arrêtez-vous. Que ressentez-vous ? Vous tenez votre avenir entre vos mains. Souhaitez-vous vraiment envoyer cette lettre ou une petite voix vous souffle-t-elle de n'en rien faire ? S'agit-il de votre intuition ou d'une simple crainte du changement ? Au moment crucial, que vous dit votre voix intérieure ?

2. Prenez des mesures pour développer votre intuition.

Mon sondage sur la chance et l'intuition a également révélé que les chanceux prennent diverses mesures pour développer leur intuition. Certains se contentent de s'éclaircir l'esprit, alors que d'autres consacrent du temps à des formes de méditation plus rigoureuses. Trouvez donc un endroit calme ou arrêtez de penser à votre problème pour y revenir plus tard. Beaucoup de ces méthodes sont très simples et vous n'aurez pas à accomplir beaucoup d'efforts pour les incorporer à votre vie. Envisagez de tester celles qui vous paraissent séduisantes et voyez ce qui se produit.

SUGGESTION D'EXERCICE

Accordez de l'importance à la méditation

Beaucoup de chanceux estiment que la méditation est le meilleur moyen d'améliorer leur intuition.

- Fermez les yeux et effectuez l'exercice de relaxation décrit en page 218. Une fois que vous aurez atteint le calme, contentez-vous de répéter sans arrêt le même mot ou la même phrase mentalement. Peu importe leur signification. Il peut tout aussi bien s'agir du prénom d'un ami que d'un vers d'une chanson, voire du titre de ce livre. L'important, c'est que vous le répétiez à l'infini, afin de vous abstraire de toutes vos autres pensées. Focalisez votre esprit dessus et essayez de ne pas le laisser s'échapper vers d'autres sujets. Au début, cela ne va pas être facile du tout. Mais accrochez-vous, et n'oubliez pas que la pratique aboutit à la perfection. Au fil du temps, vous trouverez de plus en plus aisé de focaliser vos pensées et d'instaurer une impression de calme intérieur. Après une dizaine de minutes de pensée concentrée, rouvrez lentement les yeux.
- Essayez simplement d'accomplir cet exercice simple trois fois par semaine et étudiez ensuite son impact sur votre chance.

TROISIÈME PRINCIPE :
ATTENDRE LA BONNE FORTUNE

Utilisez les techniques et exercices suivants afin d'attendre davantage de l'avenir et de concrétiser vos rêves et vos ambitions.

1. Attendez-vous à ce que la fortune vous sourie.

Les chanceux attendent beaucoup de choses positives de l'avenir. Ils comptent bien être heureux dans tous les domaines, indépendamment du fait d'être ou non maîtres des situations. Ces attentes exercent une grande influence sur leur vie, car elles ont le pouvoir de se transformer en prédictions qui se réalisent et de les aider à concrétiser leurs rêves. Souvenez-vous de Marvin, le détective privé, que ses attentes positives ont aidé à obtenir l'emploi de ses rêves. Ou d'Éric, qui est heureux en amour et qui a apprécié tous les métiers qu'il a pratiqués au cours de sa vie. Éric voit toujours l'avenir sous un jour positif. S'il regarde par la fenêtre et qu'il voit tomber des cordes, il se dit: « Formidable, demain, mon jardin sera en fleurs. » J'aimerais que vous preniez un petit moment, au début de chaque journée, pour réfléchir à la manière dont Marvin et Éric créent la chance dans leur vie. N'oubliez pas que sans prendre de risques insensés, les chanceux se disent toujours que l'avenir ne leur réserve que des choses positives. Convainquez-vous que le vôtre sera heureux et radieux. Fixez-vous des attentes réalistes, mais élevées. Faites-le étape par étape et voyez ce qui se produit.

SUGGESTIONS D'EXERCICES

Convainquez-vous de votre chance

De simples affirmations peuvent exercer un impact extrêmement bénéfique sur nos pensées et nos sentiments. En fait, beaucoup de chanceux entament leur journée en se rappelant que la fortune leur sourit. Durant les semaines qui viennent, j'aimerais que vous commenciez vos journées en prononçant tout haut les phrases suivantes:

« Je suis une personne chanceuse et aujourd'hui, la fortune me sourira encore. »

« Je sais que je peux encore avoir davantage de chance à l'avenir. »

« Je mérite d'avoir de la chance, et aujourd'hui, la chance me sourira. »

Au début, vous risquez de vous sentir bizarre. Mais essayez et vous verrez la différence.

Fixez-vous des objectifs positifs

Cet exercice consiste à fixer vos attentes dans la bonne direction en identifiant vos objectifs. Inscrivez les trois titres suivants sur une page vierge de votre Journal :

Objectifs à court terme

Objectifs à moyen terme

Objectifs à long terme

À présent, rédigez trois listes. La première contient vos objectifs à court terme, ceux que vous désirez réaliser dans le mois qui vient. La deuxième comprend ceux que vous souhaitez atteindre dans les six prochains mois. Pour finir, votre liste d'objectifs à long terme comporte ceux que vous voulez atteindre d'ici un an ou davantage.

Beaucoup de personnes trouvent cet exercice très ardu. Voici donc quelques trucs pour vous aider :

• Réfléchissez à vos objectifs dans tous les domaines : à ce que vous souhaiteriez réaliser aussi bien sur le plan personnel que professionnel.

• Essayez de définir des objectifs aussi précis que possible. Au lieu d'écrire des phrases comme « J'aimerais être heureux », réfléchissez à la question afin de préciser ce qui vous rendrait vraiment heureux. Une relation amoureuse réussie peut-être, ou un travail qui vous apporte des satisfactions. Essayez ensuite de décomposer davantage cette idée. Par exemple, en réfléchissant au genre de compagnon/e avec lequel/laquelle vous aimeriez partager votre vie, ou au genre d'emploi qui vous comblerait le plus. Ces objectifs ciblés sont beaucoup plus efficaces que les objectifs d'ordre général.

Cependant, le plus important consiste à définir des objectifs accessibles. Les chanceux nourrissent de grandes attentes mais n'espèrent pas réussir l'impossible. Essayez donc de vous créer des buts qui ne soient pas inaccessibles. N'oubliez pas que vous pouvez toujours revenir à votre liste et la réviser une fois que vous aurez atteint un objectif. Procédez étape par étape.

La fixation d'une date butoir pour l'achèvement de certains de vos objectifs les plus importants vous aidera peut-être. Mais choisissez-en une qui soit réaliste et dans les limites de l'accessible.

Cette liste représente vos attentes de l'avenir. Les buts que vous avez l'intention d'atteindre, grâce à votre bonne fortune. Consultez-la régulièrement et surveillez vos progrès.

2. Essayez d'atteindre vos buts, même si les probabilités d'y parvenir sont minces, et persévérez face à l'échec.

Nous avons également eu l'occasion de voir comment le négativisme des malchanceux les amène parfois à baisser les bras avant même d'avoir tenté quoi que ce soit. Ils ne sortent pas et ne risquent donc pas de trouver un jour un compagnon ou une compagne. Ils ne passent pas leurs examens et sont par conséquent assurés d'avance d'échouer. Ne raisonnez pas comme un malchanceux. Laissez-vous au contraire motiver par les grandes attentes que vous nourrissez à propos de l'avenir, qui vous permettront ainsi de réaliser vos désirs, même si les probabilités d'y parvenir semblent plutôt minces. Réfléchissez également à l'expérience au cours de laquelle j'ai demandé à des personnes de résoudre des puzzles difficiles. Les chanceux étaient prêts à persévérer en dépit d'une grande adversité. Raisonnez comme eux. Dites-vous que vous pouvez marquer une pause, tenter d'atteindre vos objectifs par un autre biais, mais tenez-vous prêt/e à essayer, à réessayer, jusqu'à ce que vos rêves et vos ambitions se réalisent.

◗ SUGGESTION D'EXERCICE

Effectuez une analyse coûts et profits

Certains chanceux reconnaissent qu'il est parfois dur de se motiver pour ne pas baisser les bras, alors que l'on vient de subir un échec. Plusieurs m'ont dit qu'ils effectuaient l'exercice suivant lorsqu'ils étaient sur le point d'abandonner la partie.

• Pour commencer, notez votre objectif dans votre Journal de Chance. Tirez une ligne verticale au centre de la page et inscrivez « Profits » en haut d'une colonne, et « Coûts » en haut de l'autre.

• Imaginez à présent que votre chance vous ait aidé/e à atteindre votre objectif. Imaginez que vous avez réussi à obtenir ce que vous souhaitiez vraiment obtenir. Comme par magie, votre rêve s'est transformé en réalité. Dans la colonne « Profits », inscrivez tous les bénéfices qui découleront du fait que vous avez atteint votre but. Envisagez toutes les éventualités. Le sentiment de bien-être que cette réussite pourrait vous procurer, l'enrichissement de vos vies personnelle et professionnelle, l'amélioration de vos revenus, l'aide que vous seriez en mesure d'apporter à des personnes aimées. Allongez votre liste, au fur et à mesure que vous pensez aux autres bénéfices récoltés grâce à la concrétisation de cet objectif.

• Ensuite, notez dans la colonne « Coûts » les efforts que vous devriez accomplir pour atteindre votre objectif ou ne pas baisser les bras. Vous auriez peut-être à écrire davantage de lettres, fax et e-mails et à donner quelques coups de fil supplémentaires. Vous devriez peut-être assister à davantage de réunions. Peut-être seriez-vous dans l'obligation de modifier quelques-unes de vos habitudes.

• À présent, prenez du recul et étudiez vos deux listes. Une nouvelle fois, imaginez que vous avez atteint votre objectif et comparez les coûts et les profits. La plupart des personnes qui effectuent cet exercice constatent que les bénéfices l'emportent de loin sur les pertes et s'aperçoivent que le moment d'agir est venu pour elles.

3. Attendez-vous à avoir des relations heureuses et fructueuses avec les autres.

Les chanceux nourrissent également de grandes attentes à propos de leurs relations avec leurs prochains. Ils comptent bien que leur entourage soit composé de gens intéressants, gais et divertissants. Vous vous souvenez d'Andrew ? Il mène une vie de rêve et a toujours fréquenté des femmes qui, selon ses propres termes, sortent vraiment de l'ordinaire. Le secret de son succès n'a rien à voir avec un physique particulièrement avantageux ou un compte en banque bien garni. En fait, il réside dans la vision qu'il a de la chance. Il compte bien rencontrer des personnes agréables, affables et obligeantes. Et ces attentes ne cessent de se matérialiser. Ce point de vue s'applique aussi au lieu de travail. Les chanceux s'attendent à avoir des relations fructueuses et agréables avec leurs clients et collègues. Je suis sûr que vous n'avez pas oublié Lee. Il réussit merveilleusement dans son métier de directeur des ventes et du marketing en raison de ses « désirs rêvés ». Il imagine les coups de fil et les rencontres avant qu'ils aient lieu et se dit que ses interlocuteurs auront une attitude positive à son égard. Lui aussi parvient à transformer ses attentes positives en prédictions qui se réalisent. Essayez d'adopter la même attitude qu'Andrew et Lee. Ayez des « désirs rêvés » et escomptez le meilleur de votre entourage. Vous serez étonnée par l'influence que cette attitude exercera sur votre vie.

◗ Suggestion d'exercice

Visualisez la bonne fortune

Durant mes entretiens, les chanceux m'ont souvent confié qu'ils visualisaient des événements heureux. Chaque fois que vous abordez une situation importante — entretien d'embauche, réunion professionnelle ou rendez-vous amoureux —, essayez l'exercice suivant pour voir ce qui se produit.

• Asseyez-vous sur un siège confortable dans une pièce tranquille. Fermez les yeux et détendez-vous. Inspirez à fond. Imaginez mentalement la situation en question. Pensez au décor, aux personnes qui seront probablement présentes, aux bruits que vous entendrez, aux choses que vous verrez.

• À présent, imaginez-vous que la chance vous sourit dans cette situation et que vous vous en sortez brillamment. S'il s'agit d'un entretien d'embauche, dites-vous que vous affichez vos compétences et vos connaissances. Imaginez les questions qui sont susceptibles de vous être posées et les réponses pertinentes que vous donnerez. S'il s'agit d'un rendez-vous amoureux, imaginez que vous êtes décontracté/e et très sûr/e de vous. Si vous vous apprêtez à assister à une réunion difficile, imaginez que tous les participants seront affables et prêts à coopérer. Essayez de visualiser le plus grand nombre de détails possible. Pensez aux vêtements que vous porterez et à l'attitude que vous adopterez. Essayez d'anticiper ce que les autres vous diront ainsi que vos réactions. Amusez-vous en essayant de voir la situation de leur point de vue, puis revenez au vôtre.

Mais avant tout, concentrez-vous sur deux choses : la chance va vous sourire et vous allez remplir vos ambitions.

• À présent, rouvrez lentement les yeux et transformez vos ambitions en réalité.

QUATRIÈME PRINCIPE :
TRANSFORMER LE MAUVAIS SORT EN BONNE FORTUNE

Utilisez les techniques et exercices suggérés ci-dessous afin de transformer votre malchance en bonne fortune.

1. Regardez le bon côté de votre malchance.

Les chanceux ont tendance à voir le bon côté de leur malchance. Souvenez-vous de Marvin, qui estimait que sa chute dans l'escalier et sa cheville foulée étaient un signe de chance, comparées au fait qu'il aurait pu se briser le cou. Les chanceux se comparent souvent à moins chanceux qu'eux. Mina, par exemple, qui adoucit l'impact du mauvais sort dont elle est poursuivie en se comparant aux personnes qu'elle a vu subir des atrocités pendant la Seconde Guerre mondiale. Essayez de raisonner comme Marvin et Mina et de voir le bon côté de tout ce qui vous arrive.

◗ SUGGESTION D'EXERCICE

Découvrez le trésor dans le tas d'ordures

J'ai demandé aux chanceux quel genre de techniques ils utilisaient pour voir le bon côté des événements qui leur arrivent. En voici trois qu'ils ont souvent évoquées :

- Réfléchir à la manière dont la situation aurait pu s'avérer bien pire : d'accord, vous avez eu un accident de voiture, mais vous êtes toujours en vie. Vous êtes arrivé très en retard à un rendez-vous important, mais là encore, vous auriez pu le rater complètement.
- S'interroger : cet événement malchanceux a-t-il vraiment de l'importance ? On vous a refusé une promotion, mais cette déception affecte-t-elle les aspects essentiels de votre vie, à savoir votre santé et vos relations avec les autres ? Vous avez perdu votre portefeuille et vos cartes de crédit, mais dans l'ensemble de votre vie, cette perte est-elle vraiment grave ?
- Se comparer à ceux qui subissent de pires coups du sort : vous avez mal au dos, mais à travers le monde, il y a beaucoup de personnes qui souffrent de maladies bien plus graves. Comparée à la leur, votre malchance a quelque chose d'anodin.

À chaque malheureux coup du sort, utilisez ces techniques pour accepter la situation avec davantage de philosophie.

2. N'oubliez pas que le mauvais sort peut se révéler positif.

Les chanceux prennent également des distances. Quand ils sont frappés par le mauvais sort, ils se disent qu'à long terme, ils s'en sortiront bien. Souvenez-vous de Joseph, qui déclare que son incarcération a été l'un des événements les plus positifs qui lui soient jamais arrivés. Raisonnez comme lui : prenez vos distances et n'oubliez pas que le mauvais sort peut déboucher sur quelque chose de positif.

◗ SUGGESTION D'EXERCICE

Faites sortir un phénix de ses cendres

Nombre de personnes qui ont été confrontées à d'affreux événements déclarent qu'à long terme, ces derniers les ont aidées à réévaluer leur vie et à comprendre leurs véritables priorités, comme leur famille et leurs amis. Quand un événement négatif vous atteint, prenez le temps de réfléchir aux éventuelles conséquences positives de votre malchance. Amusez-vous à être créatif, et imaginez des manières dont cette malchance peut se révéler une étape absolument nécessaire sur le chemin d'une chance étonnante. Prenons à nouveau le cas d'un entretien d'embauche qui s'est révélé désastreux. Comme vous êtes toujours sur le marché du travail, cet échec vous permettra de répondre à d'autres offres d'emploi et, qui sait, d'en trouver un plus intéressant que celui que vous venez de rater. Ou alors, dans une réception, on vous offrira une possibilité formidable de changer le cours de votre vie et vous serez en mesure de la saisir.

À présent, posez-vous deux questions : quelles preuves permettent d'affirmer que ces événements positifs ne se produiront pas ? Quelles preuves permettent de dire que quelque chose de bien ne résultera pas de votre malchance ? La réponse à ces deux questions est « aucune ». Vous ne savez absolument pas ce que l'avenir vous réserve. Votre seule certitude, c'est que les choses ne pourront que s'arranger si vous ne vous laissez pas complètement démoraliser par votre malchance.

3. Ne ruminez pas votre malchance.

Les chanceux ne se focalisent pas sur leur malchance passée mais plutôt sur les moments où la chance leur a souri et sur les choses superbes qui vont leur arriver à l'avenir. Si vous êtes victime de malchance, ne la ressassez pas ; constatez ce qui se produit.

SUGGESTION D'EXERCICE

Distrayez-vous

Certains chanceux déclarent que quand ils jouent de malchance, ils éprouvent un soulagement en consacrant environ une demi-heure à expulser leurs émotions. Certains pleurent, d'autres s'en débarrassent contre un punching-ball, d'autres encore vont hurler tout leur soûl en rase campagne. Mais tous sont d'accord sur le fait qu'il est important de ne pas ressasser la malchance. Voici quelques trucs qui vous aideront à ne plus y penser :

- Se rendre au club de gym : l'exercice est un moyen formidable de ne plus penser à ses problèmes et de reprendre du poil de la bête.
- Regarder un film comique : choisissez-en un qui soit vraiment drôle et efforcez-vous d'entrer dans l'histoire.
- Consacrer une vingtaine de minutes à réfléchir à un événement positif qui vous est arrivé. À quelque chose qui vous a vraiment rendu heureux. Si possible, regardez des photographies prises à l'époque. Revivez cet événement mentalement et pensez à votre état d'esprit au moment où il s'est produit.
- Écouter de la musique. Là aussi, choisissez un morceau qui vous procure du bonheur et essayez de vous plonger dedans.
- S'organiser pour voir ses amis et prendre de leurs nouvelles.

4. Prenez des mesures constructives pour ne plus subir de mauvais coups du sort.

Les chanceux traitent leurs problèmes de façon constructive. Au lieu de se reposer sur la superstition, ils insistent, tirent des leçons de leurs erreurs passées et réfléchissent à des manières inédites et créatives de se colleter avec leur malchance. N'agissez pas comme Shelly, la dame qui passe son temps à avoir des accidents de voiture mais qui ne fait rien pour améliorer sa conduite au volant, car elle préfère attribuer sa malchance à une série de véhicules défectueux. Inspirez-vous au contraire des chanceux qui tirent des leçons des erreurs qu'ils ont pu commettre lors d'entretiens d'embauche ou de rendez-vous amoureux. Lorsque la malchance survient, faites comme eux: prenez le contrôle de la situation et attaquez-vous au problème de manière constructive.

Nous avons abordé trois des étapes qui constituent l'École de la Chance. Dans la première, je vous ai demandé de rédiger une brève déclaration par laquelle vous affirmez votre intention de changer. Au cours de la deuxième, nous avons passé en revue votre profil, afin d'identifier les principes qui vous seront les plus utiles. Dans la troisième, nous avons évoqué les techniques qui vous permettront de changer et les exercices qui vous aideront à réfléchir et à vous comporter comme une personne chanceuse. Nous en arrivons à la quatrième étape. Elle est essentielle au processus. Il s'agit pour vous de tenir un agenda de toutes les manifestations de la chance que vous constaterez dans le mois à venir.

Chaque matin, réfléchissez à la chance que vous avez rencontrée la veille.

◗ SUGGESTION D'EXERCICE

Prenez cinq mesures vers la solution

La résolution constructive des problèmes comporte cinq mesures fondamentales. Prenez-les et constatez les résultats.

Pour commencer, n'assumez pas que vous ne pouvez rien faire à propos de la situation en question. Prenez la décision de la maîtriser et de ne pas être victime de la malchance.

Deuxièmement, agissez tout de suite. Pas la semaine prochaine ni dans un mois, mais tout de suite.

Troisièmement, dressez une liste des options qui se présentent à vous. Soyez créatif. Ne réfléchissez pas avec des œillères. Essayez d'estimer la situation de points de vue différents. Envisagez un maximum de solutions, sans tenir compte de leur idiotie ou absurdité apparentes. Demandez à vos amis ce qu'ils feraient en pareille circonstance. Continuez à accumuler les éventuelles solutions.

Quatrièmement, décidez de la manière dont vous allez avancer. Soupesez chaque solution possible. Combien de temps nécessitera-t-elle? Possédez-vous les connaissances et le savoir-faire nécessaires pour l'appliquer? Quelles sont les issues probables d'une solution que vous avez décidé d'adopter?

8

Enfin et surtout, attaquez-vous à la résolution du problème. Manifestement, il vous faudra souvent privilégier l'attente aux dépens d'un geste irréfléchi commis dans la précipitation. Peu importe, dans la mesure où votre inaction est partie intégrante d'un plan et non un simple ajournement. Soyez également prêt à modifier votre solution au fil des événements. Cette retenue et cette souplesse entrent pour beaucoup dans la chance. Mais ce qui compte, c'est que vous commenciez à chercher des solutions au lieu de faire une fixation sur votre problème.

Quatrième étape : votre Journal de Chance

Il est capital que vous teniez un « agenda de la chance » spécial au cours du mois qui vient. Numérotez les trente pages vierges suivantes de votre Journal de Chance de 1 à 30. Tous les jours en fin de journée, prenez quelques minutes pour noter les événements positifs qui vous sont arrivés. Inutile d'écrire un long essai, contentez-vous de jeter quelques mots sur le papier. Surtout, n'oubliez rien. Mentionnez tout aussi bien les événements d'ordre trivial que ceux qui vous paraissent importants.

Chaque matin, relisez les notes que vous avez prises la veille.

Dernière étape : dernières pensées

Je termine toujours chaque session par les deux pensées suivantes.

Pour commencer, prenez les choses une par une. Il ne vous faudra pas beaucoup de temps pour créer une vie éclairée par la chance. Commencez par établir des relations avec davantage de monde, par écouter un peu plus souvent votre voix intérieure, par nourrir un peu plus d'espoir à propos de l'avenir et ainsi de suite. Au bout d'environ une semaine, vous constaterez probablement que votre chance a légèrement augmenté. Cette constatation servira d'important catalyseur à d'autres changements. Ces petits événements vous aideront à sentir, réfléchir et vous conduire comme une personne chanceuse. Attitude qui vous amènera à son tour à incorporer un peu plus à votre vie les principes et les techniques de la chance. Le processus se poursuivra alors. En cercles. Étape par étape. Lentement, mais sûrement, la chance vous sourira davantage.

Deuxièmement, si j'ai appris quelque chose au cours des années qui viennent de s'écouler, c'est que la bonne fortune rencontrée par les chanceux n'est ni un cadeau des dieux, ni un don inné. Non, les chanceux ont développé à leur insu des modes de réflexion qui les rendent particulièrement heureux, prospères et satisfaits de leur vie. En fait, ces techniques sont tellement efficaces qu'ils ont parfois l'air destinés à mener des vies de rêve. Mais dans le fond, ils sont exactement comme tout le monde, ils sont exactement comme vous. Et à présent que vous connaissez leurs techniques, je crois que vous pouvez aussi être exactement comme eux.

Pour y parvenir, il vous suffira simplement d'accomplir les petits efforts que vous avez promis d'accomplir dans votre déclaration de chance.

Résumé des exercices

Premier principe : tirer le maximum des occasions fortuites

1. Bâtissez et gardez un solide « réseau de chance »

Établissez quatre contacts

Jouez au contact

2. Ayez une attitude détendue à l'égard de la vie

Détendez-vous, puis agissez

3. Soyez ouvert aux expériences nouvelles

Jouez aux dés

Deuxième principe : écouter son intuition

1. Écoutez votre « voix intérieure »

Rendez visite au vieil homme dans sa caverne

Prenez une décision, puis marquez un temps d'arrêt

2. Prenez des mesures pour développer votre intuition

Accordez de l'importance à la méditation

Troisième principe : attendre la bonne fortune

1. Attendez-vous à ce que la fortune vous sourie

Convainquez-vous de votre chance

Fixez-vous des objectifs heureux

2. Essayez d'atteindre vos buts, même si les probabilités d'y parvenir paraissent minces, et persévérez face à l'échec

Effectuez une analyse coûts et profits

3. Attendez-vous à avoir des relations heureuses et fructueuses avec les autres

Visualisez votre bonne fortune

QUATRIÈME PRINCIPE : TRANSFORMER LE MAUVAIS SORT EN BONNE FORTUNE

1. Regardez le bon côté de votre malchance

Découvrez le trésor dans le tas d'ordures

2. N'oubliez pas que le mauvais sort peut se révéler positif

Faites sortir un phénix de ses cendres

3. Ne ruminez pas votre malchance

Distrayez-vous

4. Prenez des mesures constructives pour ne plus subir de mauvais coups du sort

Prenez cinq mesures en direction de la solution

9
LE JOUR DU DIPLÔME

J'ai revu chacun des participants à l'École de la Chance environ quatre semaines après leur avoir demandé de changer de modes de pensée et de comportement et j'ai alors longuement discuté avec eux de ce qui s'était produit entre-temps. Au cours de ce dernier entretien, je les ai priés de relire leur « Journal de Chance » et d'estimer, en toute honnêteté, si la chance leur souriait davantage, moins, ou si elle n'avait pas changé. À la fin de notre entretien, je leur ai également demandé de remplir le Questionnaire de la Chance et celui de l'Indice de satisfaction de vie.

J'ai eu la possibilité d'analyser les résultats de ce projet sur la chance de plusieurs points de vue. Pour commencer, lors de ce dernier entretien, tous m'ont fait un récit détaillé de l'impact exercé par les principes de la chance sur leur vie. Puis j'ai établi une comparaison entre les notes qu'ils avaient données la première fois au Questionnaire de la Chance et au Questionnaire Indice de satisfaction de vie et celles qu'ils leur donnaient à présent, afin de mesurer avec objectivité si la chance leur souriait davantage et s'ils étaient plus satisfaits de leur vie.

Ce chapitre décrit les résultats de l'École de la Chance. Vous allez retrouver les noms et les expériences de certains participants mais vous allez également faire connaissance avec d'autres.

L'histoire de Patricia

Patricia, vingt-huit ans, fut l'une des premières personnes à participer à l'École de la Chance. Lors de notre rencontre, elle me raconta qu'aussi loin que remontaient ses souvenirs, elle avait toujours été malchanceuse.

Il y a quelques années, elle commença à travailler comme hôtesse pour une compagnie aérienne et s'acquit rapidement la réputation parmi ses collègues de porter la poisse. Au cours de l'un de ses premiers vols, une famille s'enivra et fit un tel grabuge que l'avion dut effectuer une escale imprévue pour la faire descendre. Quelque temps plus tard, un vol de Patricia fut frappé par la foudre. Peu de temps après, un troisième vol eut un problème de freinage au moment de l'atterrissage, si bien que des camions de pompiers durent attendre l'avion sur la piste.

La malchance de Patricia se retrouva dans d'autres domaines. Les transports étaient le fléau de son existence. Sa voiture flambant neuve fut emboutie par une autre voiture sur un parking. Elle l'échangea contre une autre, avec laquelle elle s'empressa de percuter un panneau de signalisation. Comme beaucoup de malchanceux, Patricia empruntait souvent des transports en commun qui avaient du retard. Elle était convaincue de porter malchance et de transmettre sa poisse aux autres. Elle ne souhaitait jamais bonne chance à personne, car elle était persuadée que, par le passé, des gens avaient raté leurs examens ou des entretiens importants par sa faute. Lors de notre première rencontre, je lui avais demandé de m'expliquer ce qu'elle ressentait lorsque la malchance s'abattait sur elle.

> « Je me dis : “Oh non, ça ne va pas recommencer ! Est-ce qu'il ne pourrait pas m'arriver quelque chose d'agréable ?” Je n'arrête pas de toucher du bois en me disant “Pourvu qu'il m'arrive quelque chose de positif !”. Je suis même malchanceuse quand je fais du

> shopping. Quand je vois un vêtement qui me plaît, le magasin ne l'a plus dans ma taille ou il a un accroc. Je fais partie des gens qui ont ce genre de malchance, tellement pénible que je suis obligée de demander à des amis de m'accompagner. »

J'avais également demandé à Patricia si elle s'attendait à ce que sa malchance tourne un jour. Elle avait pris un air sceptique et m'avait répondu que certaines personnes naissent malchanceuses, un point c'est tout, et qu'elles ne peuvent pas faire grand-chose pour changer la situation. Ses réponses au profil chance et ses entretiens montraient qu'elle obtenait des scores très bas aux quatre principes de la chance.

À la question de savoir si elle avait des amis et gardait le contact avec eux, elle m'avait répondu qu'elle venait de déménager et qu'elle ne connaissait donc pas grand monde. Elle m'avait aussi raconté que ses liens avec un grand nombre de ses amis s'étaient desserrés et qu'elle avait du mal à maintenir le contact.

Comme beaucoup de malchanceux, Patricia m'avait également avoué ne pas souvent suivre son intuition et le regretter par la suite. L'impact le plus grave exercé par cette attitude concernait sans doute sa première relation amoureuse sérieuse :

> « Je pense que je me suis trouvée au mauvais endroit au mauvais moment et que j'ai rencontré un garçon qui n'était pas du tout fait pour moi. J'ai vécu avec lui quatre ans et demi. Il était du genre à vouloir tout contrôler et j'ai fini par ne même plus pouvoir choisir mes tenues parce qu'il les choisissait à ma place. Des années auparavant, des gens m'avaient dit : “Arrête. Tu ne devrais pas partager sa vie.” Je devais être aveugle. Il avait mauvaise réputation avant même que je commence à sortir avec lui. Quinze jours après le début de notre relation, des amis m'ont dit que je

> faisais fausse route et n'ont cessé de me conseiller pendant deux ans de le quitter, puis ils ont baissé les bras. J'ai des intuitions, mais j'ai du mal à les suivre. Elles m'inspirent de la circonspection, je me demande : "Pourquoi est-ce que tu penses ça ? Qu'est-ce qui te fait penser ça ?" Je crois que je n'ai pas assez confiance en moi pour faire confiance à mes prémonitions. »

Patricia s'attendait aussi à continuer à être malchanceuse et vivait très mal sa malchance. Je lui avais posé des questions identiques à celles auxquelles avaient déjà répondu de nombreux participants à mes recherches. Par exemple, comment elle réagirait si elle avait trois rendez-vous amoureux qui se concluaient tous sur un échec. Elle m'avait fait une réponse absolument typique d'une personne malchanceuse :

> « Dans ce cas, je serais complètement effondrée et en larmes, je me dirais : "Je suis une ratée, au secours !" J'ai tendance à ne voir que le mauvais côté des choses qui m'arrivent, ça me tarabuste énormément. La nuit, j'ai des insomnies, car je pense au côté négatif des événements ou à quelque chose qui m'est arrivé il y a dix ans en me disant : "Je n'aurais pas dû dire ça." »

À la fin de notre premier entretien, j'avais demandé à Patricia de remplir le Questionnaire de la Chance. Sans surprise, elle appartenait à la catégorie des malchanceux.

Elle avait ensuite rempli le Questionnaire Indice de satisfaction de vie, qui lui demandait d'indiquer dans quelle mesure elle était satisfaite de sa vie en général. Sans surprise aussi, ses notes montraient qu'elle était nettement insatisfaite dans presque tous les domaines de sa vie.

Lors de notre deuxième rencontre, j'avais expliqué à Patricia une partie de mes idées et nous avions évoqué la manière dont elle pourrait incorporer certaines techniques de « chance » à sa vie. Avant tout, elle devait faire confiance à son intuition, attendre des choses positives de

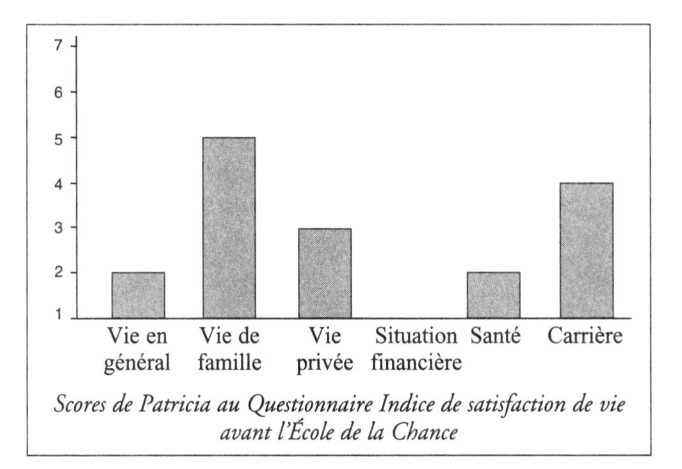

Scores de Patricia au Questionnaire Indice de satisfaction de vie avant l'École de la Chance

l'avenir et apprendre à transformer le mauvais sort en bonne fortune.

Un mois plus tard, Patricia est revenue me voir. Elle avait l'air beaucoup plus détendue et heureuse et m'a expliqué gaiement qu'une grande évolution était intervenue. Pour la première fois de sa vie, tout marchait selon ses souhaits.

> « Je suis impressionnée. Vraiment impressionnée. Je ne pensais pas que ça allait marcher, mais je me trompais. Ça a tout changé. J'ai l'impression d'être métamorphosée. C'est sidérant, je n'ai presque plus aucune malchance. C'est un véritable changement pour moi.

> « J'ai conclu de notre premier entretien que certaines personnes se font une opinion de la chance qui n'a rien à voir avec la mienne, chose qui ne m'était encore jamais venue à l'esprit. Je ne pensais pas que les gens pouvaient se trouver vraiment chanceux, j'étais sidérée par ce qui leur passait par la tête. Après avoir ouvert les yeux, je me suis dit qu'il n'y avait aucune raison que je n'y arrive pas moi-même. Et plus le temps passe, plus il m'arrive de choses positives et moins de choses

négatives. Du coup, un véritable changement s'est opéré. Des détails pour commencer, mais qui m'inspirent un sentiment plus positif à l'égard de la vie. Ce sentiment s'est vraiment insinué en moi.

« La première semaine, je suis allée m'acheter un manteau que j'avais repéré depuis un certain temps. Vu ma malchance habituelle, je craignais beaucoup qu'il ne soit plus là, mais j'ai quand même décidé de m'obliger à y aller. En arrivant à la boutique, j'ai constaté que ce manteau était toujours en vente. Ça ne m'était encore jamais arrivé ; c'était tout nouveau pour moi. Et puis je ratais toujours l'autobus. Mais cette semaine-là, le bus était là quand j'arrivais. Je réussissais à l'attraper. Avant, je n'y arrivais jamais, pas une seule fois par semaine. À présent, je l'ai toujours. C'est sidérant.

« Au bout d'une semaine, je me suis demandé si ce phénomène ne serait pas qu'un feu de paille et j'ai été vraiment surprise qu'il n'en soit rien. C'était un fait acquis, tout simplement. Après quelque temps, je n'ai même plus eu à y penser. Un changement significatif s'est produit dans ma vie.

« L'autre jour par exemple, mes parents m'ont fait la surprise de m'acheter un ordinateur. Mais il lui manquait une pièce. En temps normal, je n'aurais pas insisté et je ne m'en serais pas servie, mais là, j'ai décidé de transformer la malchance en bonne fortune. Je me suis rendue en ville pour me procurer la pièce manquante. J'y suis allée en voiture un samedi après-midi où la circulation était très dense et j'ai tout de suite trouvé une place de parking. En arrivant au magasin, je me suis aperçue que j'avais oublié mon porte-monnaie. Je me suis tournée, il y avait un distributeur à côté et il n'était pas en panne. Quand je suis entrée dans le magasin, il allait fermer. Mais j'ai dit quelques mots à la vendeuse, elle m'a laissée entrer et j'ai réussi à me procurer la pièce manquante, c'était même la dernière qu'ils avaient en stock. Ce genre de chose ne m'était encore jamais arrivé. C'est stupéfiant. Je n'en revenais pas. J'étais tellement sidérée que je l'ai raconté à toutes les personnes de mon entourage. »

Patricia est parvenue à insérer de nombreux principes de la chance dans sa vie. Elle m'a décrit le rôle important joué dans sa transformation par le fait qu'elle écoutait désormais sa voix intérieure et attendait des choses positives de l'avenir.

« J'ai essayé d'être plus intuitive. De prendre le temps d'écouter ma voix intérieure. Le lendemain du jour où je suis allée au magasin d'informatique, j'ai eu une espèce de flash qui me disait de sauvegarder le travail que j'avais effectué sur l'ordinateur. À peine l'avais-je fait qu'il est tombé en panne ! Mais comme j'avais fait une sauvegarde, je n'ai pas eu de problèmes.

« L'adoption d'une attitude positive à l'égard de l'avenir m'a également aidée. Au début, j'étais obligée de me forcer à penser aux affirmations comme « Aujourd'hui la chance va me sourire » et ainsi de suite. Mais au bout d'un moment, cet effort s'est avéré inutile. Je le faisais inconsciemment, automatiquement. Le temps passant, c'est devenu une habitude. Mon petit ami et mes parents ont remarqué un vrai changement. J'éprouve à présent des sentiments plus positifs à l'égard de l'avenir, ce qui est sidérant, car c'est un véritable exploit que de me rendre positive ! Bref, ces principes ont eu un effet étonnant. J'ai cessé d'estimer que j'étais particulièrement malchanceuse. »

Patricia s'est également aperçue que certaines des techniques utilisées par les chanceux pour adoucir l'impact émotionnel de la malchance et adopter une attitude plus constructive à l'égard des coups du sort étaient extrêmement profitables :

> « Il m'arrive encore de petits pépins : ma voiture est tombée en panne et ma télévision ne marche plus depuis quelques jours mais je ne fais plus guère attention à ce genre d'incidents. Je les rumine beaucoup moins qu'avant. Du coup ma vie a vraiment changé car la malchance ne me démoralise plus. Avant, je ratais le bus, autre chose de négatif se produisait, des tas de contrariétés et je n'en pouvais plus. Mais à présent, quand je rate le bus, je me dis que ce n'est pas vraiment un problème, que ça n'a aucune importance, comparé aux choses qui comptent dans ma vie. Je n'y pense même pas. Du coup, j'ai l'impression de maîtriser beaucoup mieux la situation. En fait, je crois qu'au lieu de m'attendre à subir les événements, je les contrôle à présent davantage.
>
> « Avant que je prenne part à cette expérience, si ma voiture était tombée en panne, je me serais dit : "C'est toujours à moi que ça arrive, jamais aux autres." À présent, c'est : "Bon, comment vais-je faire pour régler ce problème ?" Cette attitude est beaucoup plus constructive et positive. Je me demande simplement quelle démarche je vais devoir entreprendre, je me dis que je dois régler ça au lieu de le ruminer, que ça ne sert à rien, que ça ne me mènera à rien, que j'ai juste à m'en occuper. »
>
> « Il y a quelques semaines, j'avais besoin d'une robe pour une soirée. Je suis allée faire les magasins, j'en ai trouvé une qui me plaisait vraiment mais je ne l'ai pas achetée car je me suis dit : "Je reviendrai dans une semaine et si elle est encore là, elle aura passé le test de la chance et je l'achèterai." Quand j'y suis retournée, elle s'était envolée ! Par le passé, je serais sortie dans tous mes états de la boutique, j'aurais boudé, j'aurais

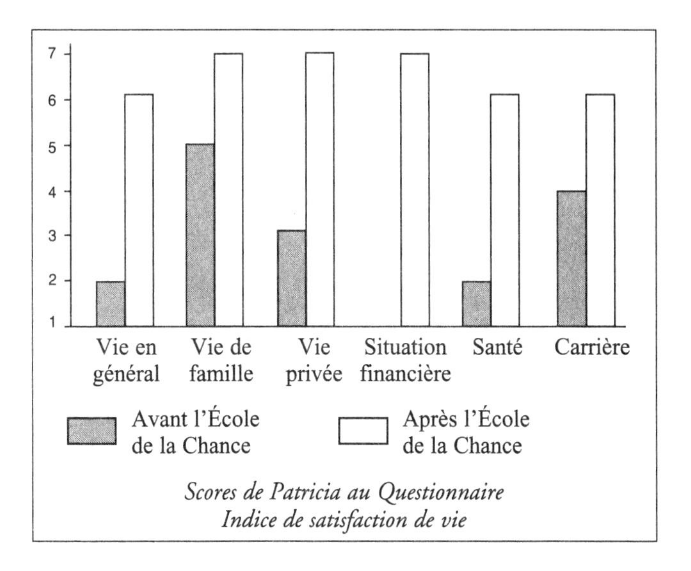

Scores de Patricia au Questionnaire Indice de satisfaction de vie

été vraiment malheureuse et je ne serais probablement pas allée à cette soirée. Mais là, j'ai regardé le côté positif et j'ai pensé : “Il y en a peut-être une autre.” J'ai donc poursuivi mon shopping, et j'en ai trouvé une plus jolie, moins chère, vraiment splendide. J'étais contente et je suis allée à cette soirée en me sentant bien dans ma peau. »

À la fin de l'École de la Chance, j'ai demandé à Patricia de repenser à son niveau de chance précédent et de me dire dans quelle mesure il avait évolué. Elle m'a répondu qu'il avait augmenté de 75 %. Pour finir, je lui ai demandé de remplir une dernière fois le Questionnaire de la Chance et celui de l'Indice de satisfaction de vie. Son score précédent était de – 4. Après avoir participé au programme, il était de + 3. Patricia s'était transformée de malchanceuse en chanceuse. Mais surtout, son score au Questionnaire Indice de satisfaction de vie indiquait qu'elle était à présent très satisfaite de tous les domaines de sa vie.

L'histoire de Carolyn

Durant sa première visite à l'École de la Chance, Carolyn m'avait raconté comment la chance lui avait toujours tourné le dos.

> « Pour moi, quand les choses vont mal, ce n'est pas par trois, mais par neuf, douze, seize ou vingt-quatre. Chaque fois que six choses négatives arrivent en même temps, j'attends la suivante. La responsable de la cantine elle-même me surnomme « porte-poisse », parce que l'autre jour, quand j'ai voulu payer ma tasse de thé, sa caisse s'est détraquée et ne marche plus depuis.
>
> « Une fois, une quantité industrielle de malchance m'est tombée dessus en trois jours. J'étais en train de jouer avec ma fille de treize ans. Je suis tombée dans un trou de trente centimètres dont je connaissais l'existence et je me suis cogné la tête et le dos contre un mur. Pensant que je ne m'étais pas fait très mal, nous sommes rentrées chez nous en voiture, à quatre cents kilomètres. En arrivant à la maison, je me suis effondrée, j'ai cogné de nouveau ma tête et je me suis fait un traumatisme crânien. Le lendemain, je suis allée voir mon médecin qui m'a prescrit des remèdes. Mais pour les prendre, je devais manger trois fois par jour. Le lendemain, je me suis cassé une dent sur un sachet de chips, mais je n'ai pas pu me la faire réparer à cause des médicaments que je prenais. Après ça, je suis rentrée dans un arbre en faisant une marche arrière et ma voiture a été très endommagée. Le dimanche, je ne pouvais plus bouger et il s'est avéré que je m'étais sérieusement blessé le bas du dos. Les remèdes que je prenais pour le traumatisme crânien avaient masqué la douleur et je ne m'en étais pas aperçue. J'ai dû rester allongée pendant trois semaines. Toute ma vie se déroule ainsi.

« Je suis tout aussi malchanceuse en amour. Mon premier compagnon était violent. Tout le monde savait que notre relation ne fonctionnait pas. Je l'ai quitté alors que j'étais enceinte de trois mois, parce que je ne pouvais plus le supporter. Je lui ai dit que j'attendais un enfant et il m'a répondu de partir avec. Je ne l'ai plus jamais revu. Puis j'ai rencontré un autre homme dont j'ai eu un autre enfant. Le prince charmant. J'étais éblouie. Mais une fois à la maison, il s'est transformé en vilain crapaud. Un jour, il m'a brisé le nez en cadeau d'anniversaire. J'ai décidé de travailler quand même et mon père m'a conduite sur mon lieu de travail. J'ai ouvert la portière pour descendre de la voiture. Mon sac à main était posé juste derrière le siège et quand je me suis penchée en avant, mon père a claqué la portière. Elle m'a cogné la tête et je suis tombée dans les pommes. Une fois de plus je me suis retrouvée à l'hôpital. Je suis restée cinq ans avec cet homme. J'ai rompu il y a deux ans et je n'ai pas eu de relation amoureuse sérieuse depuis.

« Question finances, ce n'est pas plus brillant. J'ai soutenu pendant quatre ans ma tante qui avait un cancer du sein. Nous étions très proches et je lui ai demandé si elle était d'accord pour que je lui rachète sa maison. Nous en avons discuté et trouvé toutes les deux que c'était une bonne idée. J'ai donc fait un gros emprunt à la banque pour acheter la maison en viager. Le jour où nous avons reçu les formulaires, ma tante n'était pas très en forme. Je l'ai emmenée chez le médecin, elle avait eu une attaque indécelable à l'œil nu et n'a pas pu aller chez le notaire pour signer les papiers. J'ai repris rendez-vous pour deux semaines plus tard, mais ce matin-là, elle a eu une autre attaque, très grave, dont elle ne s'est jamais remise. Résultat : j'ai perdu ma tante, la maison et je me suis retrouvée avec un gros problème financier à régler.

> « Ma malchance va jusqu'à affecter les personnes, voire les animaux, de mon entourage. Vers la fin de l'année dernière, ma meilleure amie est morte subitement de la maladie de Hodgkin et mon chat a été écrasé par un camion. Le soir du réveillon du 31 décembre, je me suis dit : "C'est le dernier jour de l'année, rien ne peut arriver, le nouvel an est là, un nouveau début, et tu vas faire en sorte que cette année soit meilleure que la précédente." C'est alors que j'ai reçu un coup de fil qui m'apprenait qu'un cousin venait de mourir subitement d'un œdème aux poumons. »

À la fin de ce premier entretien, j'avais demandé à Carolyn de remplir le Questionnaire de la Chance et celui de l'Indice de satisfaction de vie. Elle avait obtenu un score chance de – 3 et était nettement insatisfaite de tous les aspects de sa vie.

Carolyn et moi avions évoqué les efforts qu'elle pouvait accomplir pour incorporer les techniques de la chance à sa

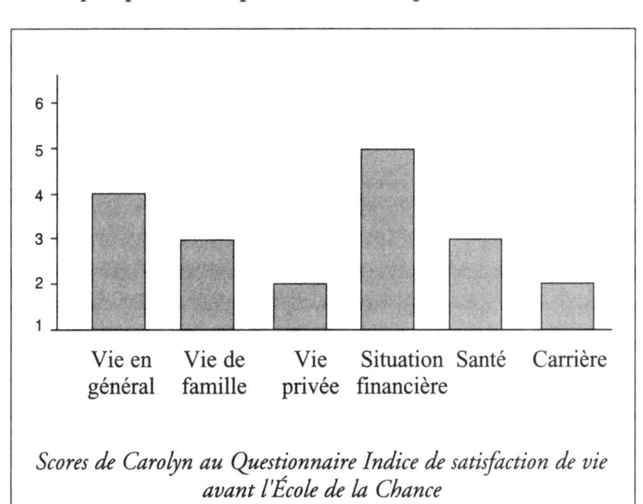

Scores de Carolyn au Questionnaire Indice de satisfaction de vie avant l'École de la Chance

vie, à savoir entrer en relation avec davantage de personnes, écouter sa voix intérieure, attendre davantage de l'avenir et transformer sa malchance en bonne fortune.

Un mois plus tard, lorsque nous nous sommes revus, Carolyn était une autre femme.

> « Je suis extrêmement étonnée. Au début, j'étais persuadée que ça ne fonctionnerait pas. Mais en quelques semaines, tout a changé. J'ai bien davantage de chance. Et mes amis ont vraiment remarqué une différence. Je souris bien plus fréquemment. Je suis beaucoup plus positive, je ne pars plus en me disant qu'il va m'arriver un pépin. Ça a même déteint sur mon meilleur ami. Quand il me quitte, il ne se dit plus que je suis une perdante. D'une manière générale, je suis beaucoup plus heureuse. Je suis vraiment contente de cette évolution. Quand je jette un regard en arrière, tout me paraît vraiment étrange. Les choses ont véritablement changé. »

Carolyn attribue une grande partie de sa chance au fait qu'elle attend beaucoup de l'avenir :

> « J'ai commencé à me fixer des attentes positives. Je les ai énoncées tout haut, j'ai noté mes objectifs et j'ai imaginé que je les concrétisais. Je me suis convaincue que j'allais réussir dans tout ce que j'entreprenais. Un soir, je suis allée jouer au bingo et j'ai gagné. La semaine suivante, j'y suis retournée et j'ai encore gagné. Gagnante, deux semaines de suite ! Quelques semaines plus tard, j'ai recommencé et j'ai de nouveau gagné. Mon meilleur ami était également malchanceux. Je lui ai donc passé la liste des conseils que vous m'aviez donnés. Je lui ai dit : "Écoute, essaie juste pendant une semaine." Nous avons gagné une grosse somme au bingo. Du coup nous avons remisé nos gains sur une course hippique et nous avons empoché une grosse somme. C'est formidable, absolument

formidable. Ça faisait un siècle que je ne m'étais pas autant amusée.

« J'ai également réussi l'examen de pilote de moto. Avant, j'aurais douté d'en être capable. Mais j'ai imaginé que tout se passait bien. Je me suis vue vraiment chanceuse. J'ai très bien conduit, j'ai effectué un arrêt d'urgence très réussi, et je l'ai obtenu haut la main. Je suis rentrée chez moi surexcitée, avec une très grande confiance en moi. Je venais de réaliser un rêve. »

Comme Patricia, Carolyn a également trouvé très utiles les techniques destinées à adoucir l'impact émotionnel de la malchance et elle a aussi adopté une attitude plus constructive à l'égard des mauvais coups du sort :

« Regarder le côté positif des choses m'amène à me sentir mieux dans tous les domaines, y compris quand je suis au volant. Je ne suis plus aussi stressée. J'ai évité quelques accidents de justesse. Tous les jours, j'effectue un trajet pour aller chercher ma fille à l'école. C'est vrai que le stress me rend belliqueuse. Ce matin, une femme a failli me rentrer dedans, mais au lieu de l'assassiner du regard et de maugréer, j'ai en quelque sorte fait table rase de cet incident et j'ai continué mon chemin en me disant : "J'ai eu de la chance." À présent, je suis même décontractée par rapport aux autres conducteurs, si bien que je conduis de plus en plus calmement. »

« Il y a quelques semaines, j'ai décidé de dominer certains de mes problèmes. De réfléchir à la manière de les résoudre au lieu de les attribuer à la malchance. Ma maison commence à se déglinguer, alors j'ai appelé la responsable de mon lotissement. Comme elle ne me rappelait pas je l'ai fait, mais elle ne voulait pas prendre mon coup de fil sous prétexte qu'elle était trop occupée. Plutôt que de lâcher prise, j'ai décidé d'insister. Je me suis dit que ça pouvait impliquer un grand changement dans ma vie, et que pour y parvenir, il me suffisait de donner quelques coups de fil supplémentaires. J'ai donc continué. J'ai appelé le bureau central et demandé à parler à un responsable. On m'a passé l'assistante personnelle du directeur, à laquelle j'ai expliqué tous mes problèmes. Ce jour-là, elle a téléphoné à la responsable de mon lotissement pour lui faire part de mes plaintes. Elles m'ont rendu visite ensemble et ont accepté d'accomplir les travaux nécessaires sur ma propriété. J'ai fait venir l'expert et l'entrepreneur. Ils ont effectué tout le travail dans le jardin la semaine dernière et vont s'attaquer au ravalement du bâtiment. J'ai attendu trois ans et demi pour me décider. Je pense que c'était entièrement dû au fait que je me considérais comme malchanceuse et que je me disais que ça ne servirait à rien. »

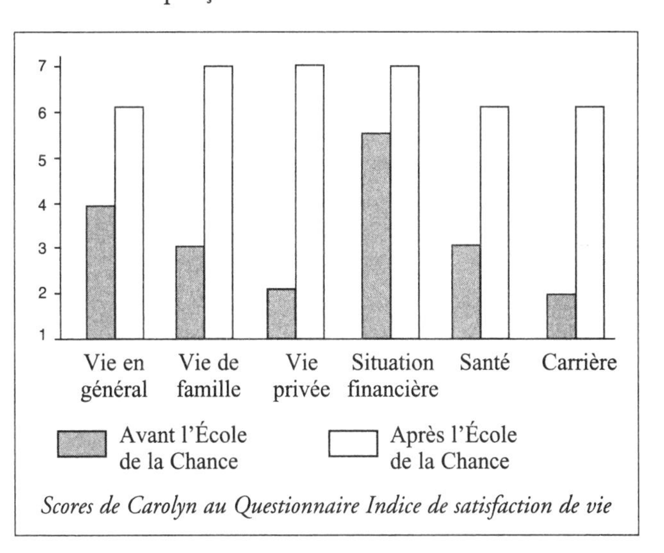

Scores de Carolyn au Questionnaire Indice de satisfaction de vie

À la fin de notre entretien, Carolyn m'a déclaré que sa chance avait augmenté de 85 %. Ses notes, au dernier Questionnaire de la Chance, étaient passées de – 3 à un stupéfiant + 6 et celles de l'Indice de satisfaction de vie démontraient également une nette amélioration dans tous les domaines.

AUTRES DIPLÔMÉS

Patricia et Carolyn sont très représentatives des participants à l'École de la Chance.

Un autre des élèves, Robert, se considérait comme malchanceux au début du programme. Il avait passé plusieurs vacances désastreuses et ne gagnait jamais rien dans les concours. Robert était fermement décidé à augmenter le nombre de bonnes occasions qu'il pourrait saisir. Quand il est revenu me voir quelques semaines plus tard, il m'a décrit comment sa décision l'avait effectivement aidé à être beaucoup plus chanceux :

> « Comme je réussissais vraiment à saisir les occasions, je n'ai pas cessé de le faire. Je n'arrêtais pas de me dire : “Pourquoi ne pas essayer ?” L'autre jour, par exemple, j'écoutais une émission à la radio dans laquelle était proposé un concours. La neuvième personne qui appellerait le présentateur devrait répondre à une question simple. La récompense, en cas de bonne réponse, était un CD. À la première annonce, je n'ai pas téléphoné, mais quand ils ont recommencé, je me suis dit : “Très bien, c'est une occasion, pourquoi ne pas essayer ?” J'ai pensé que je n'avais qu'une faible chance de gagner, mais que ça ne me coûterait que le prix d'une communication téléphonique et que ce serait super de parler à la radio. J'ai donc appelé. Par chance, j'étais le neuvième à le faire et ils m'ont fait passer à l'antenne. Le DJ m'a posé une question, je connaissais la réponse et j'ai obtenu un disque de Cher ! C'était

génial, et comme il y avait un décalage de cinq minutes avant la diffusion, j'ai appelé des amis pour les prévenir : "Vite, vite, je vais passer à la radio !"

« La semaine d'après, j'écoutais la même émission, très tôt le matin, lorsqu'ils ont annoncé le même concours. Là, j'étais beaucoup plus déterminé. La première fois que j'ai tenté le coup, je n'étais que le deuxième à téléphoner. J'ai donc recommencé, et cette fois, j'étais le neuvième. Ils m'ont de nouveau fait passer à l'antenne pour me poser une question, j'ai donné la bonne réponse et j'ai gagné un autre album ! Avant, je n'aurais jamais saisi ce genre d'occasions. »

À la fin du programme, Robert se considérait comme chanceux et sa chance avait augmenté de 10 %.

Dans le chapitre 4, j'ai évoqué la vie malchanceuse de Marilyn qui n'a pas rompu des relations catastrophiques, malgré sa voix intérieure qui lui intimait de le faire. Elle a accepté de participer à l'École de la Chance. Au bout de quelques semaines, elle était beaucoup plus positive et a reconnu que sa chance avait augmenté de 40 %. Une grande partie de cette amélioration tournait autour de sa faculté de saisir les occasions plus souvent et d'attendre bien davantage de l'avenir :

« J'ai décidé de prendre le contrôle de ma vie et d'y introduire de la variété. J'ai commencé un nouveau travail de consultante en publicité pour un magazine, qui me plaît énormément. Et puis j'ai rempli un formulaire pour participer à une émission de "télé-réalité". Les producteurs m'ont demandé de leur envoyer une petite vidéo. J'ai donc imaginé que j'étais chanceuse et pensé au genre de film qui pourrait leur plaire. Pour finir, je me suis cachée dans une boîte gigantesque, j'ai demandé à des amis de l'envelopper d'un ruban avec un nœud énorme, puis je me suis filmée sortant de la boîte en criant : "Surprise, vous avez la vidéo gagnante, vous êtes la première de l'équipe!" Mon film ne dure que quelques minutes. J'y parle un peu de moi et des raisons pour lesquelles j'ai envie de participer à l'émission. S'ils me sélectionnent, je serai enchantée. J'ai l'impression que je m'en sortirai très bien. J'ai fait une tentative l'an dernier, mais à l'époque je me sentais vraiment malchanceuse, mon film était nul, mon formulaire de demande de participation aussi, je ne donnais pas du tout une bonne image de moi. Côté petit ami, tout va très bien aussi. Pour la première fois de ma vie, j'ai pris le temps de vraiment écouter ce que me soufflait mon intuition. J'ai réalisé que j'éprouvais des sentiments très positifs à son égard. Ça m'a semblé parfait. Absolument parfait! Nous partons bientôt pour Paris. Il a donné une réception surprise pour mon anniversaire. C'est fantastique. Cette relation me rend vraiment, vraiment heureuse. 10 sur 10. »

Dans son premier entretien, Marilyn m'avait déclaré qu'elle était persuadée que la malchance la poursuivrait toute sa vie. Elle avait fréquenté l'université mais eu beaucoup de mal à passer ses examens, elle avait rompu les liens avec des amis et failli abandonner ses études en raison de problèmes financiers. Elle s'attendait toujours au pire et se croyait destinée à la malchance. Lorsqu'elle avait reçu la lettre contenant les résultats à ses examens, elle ne s'était même pas donné la peine de l'ouvrir, tant elle était convaincue de les avoir ratés. À la fin de l'École de la Chance, je lui ai demandé comment les choses se présentaient. Elle était beaucoup plus dynamique et ouverte et m'a expliqué qu'elle avait tiré le maximum de deux bonnes occasions :

« Ça s'est vraiment bien passé. Ma directrice m'a demandé si je voulais suivre une formation. Ça fait trois ans que je travaille dans cette entreprise et elle me posait la question pour la troisième fois. J'avais toujours répondu par la négative mais cette fois, je me suis dit que j'allais tenter le coup. En fait, c'était très amusant et ça m'a vraiment plu. J'ai également fait connaissance de nouvelles personnes au club de gym, ce qui est très inhabituel pour moi. En général, quand j'y vais, je m'entraîne dans mon coin, je ne suis aucun des cours. Mais comme il y en avait un quand je suis arrivée, je me suis dit que j'allais m'y inscrire. Et j'ai noué connaissance avec des gens. Je leur ai juste demandé s'ils savaient comment fonctionnait une machine que je n'avais encore jamais utilisée. Ils ont été très gentils et on va se revoir mercredi prochain. Désormais, ce sera régulier : on se retrouvera tous les mercredis. »

À la fin du programme, la chance de Marilyn avait augmenté de 30 %.

L'HISTOIRE DE JOSEPH

J'avais très envie de savoir s'il était possible de rendre les chanceux encore plus chanceux. Par conséquent, j'ai été ravi que certains d'entre eux acceptent de participer au programme.

Dans les chapitres 3 et 5, j'ai évoqué la vie de Joseph, un étudiant chanceux de trente-cinq ans. Dans sa jeunesse, Joseph était constamment en bisbille avec la police et les surveillants. Puis une rencontre de hasard avec une psychologue dans un train avait changé sa vie. Impressionnée par son caractère perspicace et sociable, elle lui avait dit qu'il ferait un très bon psychologue. Joseph avait décidé de prendre les choses en main, s'était renseigné sur les qualifications nécessaires et avait repris ses études. Joseph détenait également la faculté de changer le mauvais sort en bonne fortune. Au début du chapitre 6, je vous ai expliqué comment il adoucissait l'impact émotionnel des mauvais coups du sort en prenant ses distances. Au

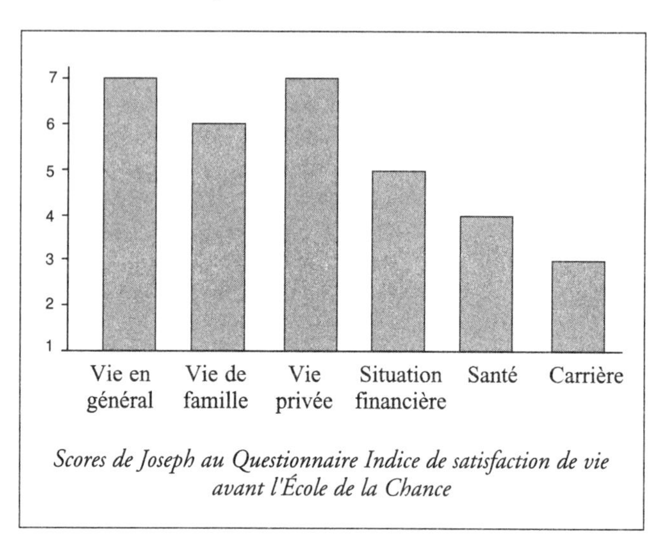

Scores de Joseph au Questionnaire Indice de satisfaction de vie avant l'École de la Chance

passage, je vous avais raconté qu'il considérait son incarcération comme l'une des plus grandes chances de sa vie. Lorsqu'il a accepté de participer à l'École de la Chance, Joseph était en dernière année de psychologie et espérait obtenir son diplôme et trouver un emploi de conseiller sociopsychologue.

Lors de notre première rencontre, je lui avais demandé de remplir le Questionnaire de la Chance et celui de l'Indice de satisfaction de vie. Son score chance de + 5 et une satisfaction quasi générale à l'égard de tous les domaines de sa vie n'avaient par conséquent rien de surprenant. Mais était-il possible d'améliorer encore sa chance ?

Lorsque nous avions passé en revue les techniques utilisées par les chanceux pour s'attirer la bonne fortune, Joseph avait vite réalisé qu'il en appliquait déjà beaucoup, mais il avait décidé de s'en servir davantage dès la semaine suivante. Il s'était dit, en particulier, qu'il pouvait encore attendre davantage de l'avenir.

Un mois plus tard, je lui ai demandé de me résumer ce qui s'était passé. Il a commencé par me raconter comment il était parvenu à augmenter encore sa faculté de transformer le mauvais sort en bonne fortune :

« Deux ou trois pépins me sont tombés dessus, et j'aurais été démoralisé si je n'avais pas été capable de me dire que quelque chose de positif allait en sortir. Je réagissais déjà un peu comme ça avant, mais à présent, bien davantage. Désormais, je trouve que quelque chose de bon sort toujours de la malchance, toujours.

« L'autre jour, quand je suis rentré à la maison, ma femme m'a dit que je devais parler à mon fils parce qu'on l'avait surpris en train de chaparder de la nourriture au restaurant de son école. Elle m'a dit : "Il va tourner comme toi, c'est dans ses gènes." C'est la première fois qu'il fait une chose pareille. Heureusement qu'il a été pris sur le fait, comme cela j'ai pu lui dire sans ménagement qu'il ne devait absolument pas prendre ce chemin. Par conséquent, cette petite malchance — dans son cas — s'est transformée en chance. Il a de la veine de s'être tout de suite fait prendre, parce que dans mon cas, lorsque j'étais un mauvais garçon, je passais toujours à travers les mailles du filet. Je continuais mes bêtises parce que je me croyais invincible.

« L'an dernier, il y avait dans ma classe une étudiante de mon âge qui s'appelait Jackie. Je ne la connaissais que de vue, mais je savais qu'elle avait un cancer du poumon et qu'elle suivait une chimiothérapie. Un mardi matin, j'ai appris sa mort. J'étais triste, mais je me suis dit : "Joseph, c'est peut-être un message. Tu sais qu'elle fumait beaucoup. Tu fumes trop et tu songeais à abandonner. Le moment est peut-être venu de le faire." Je pense donc sérieusement à arrêter de fumer pour ne pas gâcher ma santé. »

Joseph a également réussi à multiplier les occasions susceptibles de lui être bénéfiques :

« Une grande partie de ma chance, au cours des dernières semaines, a tourné autour des occasions. De petites choses pour commencer, mais qui ont pris de l'ampleur. L'autre jour, je suis passé à côté d'un autre étudiant. Je le connaissais mal, mais j'ai eu envie de bavarder avec lui. Je lui ai dit bonjour et nous nous sommes mis à parler de mes études. Je lui ai dit que je suivais un cours de statistiques et que mes notes n'étaient pas brillantes, que mon prof m'avait recommandé un livre, mais qu'en allant dans une librairie, je m'étais aperçu qu'il s'agissait d'un bouquin très cher. Bref, ce type m'a dit qu'il avait ce livre et il me l'a donné, parce qu'il avait déjà fini ce cours.

« Il y a quelques semaines, je regagnais ma voiture au parking quand j'ai aperçu un papier sur le sol. D'habitude, je serais passé à côté. J'ai donné un coup de pied dedans et dessous, il y avait un billet de vingt livres. Quand je l'ai ramassé, je me suis aperçu qu'il s'agissait en fait d'une liasse de cent livres ! Juste sous mon nez.

« Mais la grande nouvelle, c'est qu'on m'a proposé un emploi. Je travaille comme bénévole pour une organisation qui aide les personnes handicapées mentalement à s'insérer socialement. Cette organisation a reçu un coup de fil de quelqu'un qui leur demandait s'ils avaient une personne susceptible de l'aider à remplir un formulaire pour une carte de bus et c'est comme ça que j'ai commencé le bénévolat. Je ne le pratique que pendant mon temps libre.

« Une autre organisation de bienfaisance a donc entendu parler de moi et m'a envoyé une lettre pour me dire qu'ils étaient au courant du travail que j'effectuais et me proposer un emploi. Ce travail consiste à

> aller rendre visite à des personnes qui se sentent capables de s'insérer socialement mais qui ont des difficultés d'apprentissage. Je dois mesurer s'ils ont raison de le penser. Ils m'ont dit qu'au départ, ils pouvaient m'offrir ce poste à mi-temps. Ça me convient parfaitement, parce qu'il ne m'occupe que trois heures par jour, quatre jours par semaine, et s'harmonise donc avec mon emploi du temps à l'université. C'est le genre de job qui m'intéresse, ce que j'ai toujours voulu faire.
>
> « Tout ça a été formidable, bien plus bénéfique que je ne m'y attendais. J'ai passé des moments super, vraiment super. J'ai toujours regardé le bon côté des choses, mais désormais, je suis encore plus positif. Et une véritable évolution s'est faite, parce que je vois encore la vie sous un meilleur jour. Des personnes extérieures ont d'ailleurs remarqué ce changement et se montrent plus positives à mon égard. C'est comme quand on sourit à un inconnu et que cet inconnu vous rend votre sourire. Quand on est positif, les autres se montrent positifs envers vous. »

Joseph affirme que sa chance a augmenté de 50 %. Son score chance est passé de + 5 à + 6 et son Indice de satisfaction de vie final montre qu'il est encore plus content de tous les aspects de sa vie.

De nombreux autres chanceux comme Joseph ont également bénéficié du programme.

Geoff a trente-six ans et est analyste en informatique. Il s'estimait très chanceux avant de participer au programme, mais était ouvert à l'idée d'augmenter sa part de bonne fortune. Pour ce qui est du profil, il obtenait un score moyen aux premier et troisième critères et il avait donc décidé de tirer un plus grand profit des occasions et d'attendre davantage de l'avenir.

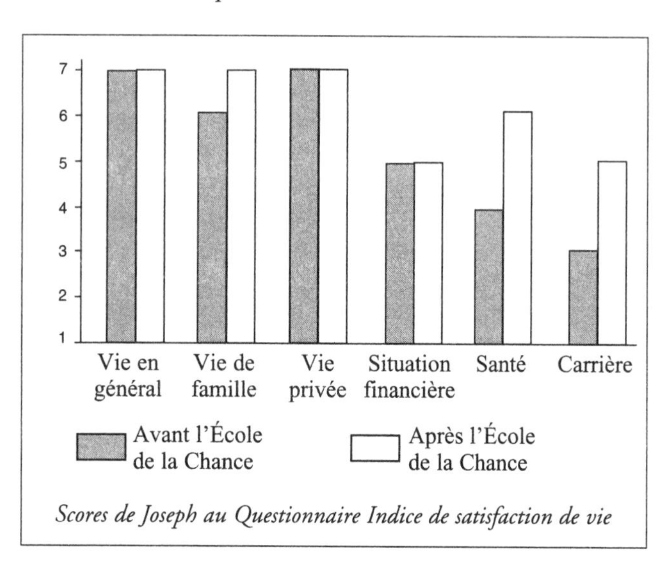

Scores de Joseph au Questionnaire Indice de satisfaction de vie

« Je me suis assis pour réfléchir posément à ce que je voulais véritablement accomplir dans l'avenir. J'ai toujours eu le désir secret de réaliser un court métrage, alors je l'ai noté au nombre de mes objectifs. Il y a quelque temps, j'ai écrit un scénario de court métrage — il s'agit d'un couple qui discute pour savoir s'ils devraient abandonner leurs emplois de citadins pour aller vivre à la campagne —, mais il restait en attente sur une étagère. J'ai visualisé les mesures que je devais prendre pour concrétiser ce projet et comment la chance pourrait m'aider à y parvenir. Quelques jours plus tard, alors que je feuilletais les pages annonces d'un magazine de cote officielle, je suis tombé sur une société qui louait de bonnes caméras et des monteuses à des tarifs relativement raisonnables. Je leur ai passé un coup de fil et j'ai loué du matériel pour deux semaines. Puis j'ai fait passer une pub dans un journal local pour demander à des acteurs éventuellement intéressés par ce court métrage de me contacter. J'ai

> obtenu une réponse, ce qui était formidable, mais j'avais besoin de deux acteurs. Cette semaine-là, je suis allé dans une réception et j'ai décidé de faire un effort pour me mêler aux invités. En général, je suis du genre timide, mais là, j'ai pris sur moi de me présenter à plusieurs personnes. J'ai bavardé avec un type qui m'a dit qu'il connaissait une actrice qui serait sûrement enchantée de participer à ce court métrage. Je l'ai contactée et elle a accepté. Si bien qu'à nous trois, nous avons tourné le film en un week-end. Je l'ai monté il y a quelques jours et je le trouve très réussi. En fait, j'envisage même de le présenter à un festival de courts métrages. J'ai vraiment l'impression d'avoir vécu des moments où la chance m'a souri et j'espère que les choses ne vont pas s'arrêter là. »

À la fin du programme, Geoff considérait que sa chance avait augmenté de 60 %.

Paula estimait aussi avoir beaucoup de chance. Elle était très ouverte et chaleureuse. Elle avait un cercle d'amis très large, et comme beaucoup de chanceux, faisait beaucoup d'efforts pour ne pas les perdre.

> « Je me donne beaucoup de mal pour rester en contact avec les gens, par le biais de lettres, d'e-mails, de messages, de coups de fil, par tous les moyens, en fait. J'adore garder le contact. Je suis restée en relation avec des amis d'école, d'université et de travail — plus ma famille au grand complet. Au total, je pense être constamment en contact avec une quarantaine de personnes. »

Paula avait grandi en Inde. C'était par hasard que ses parents avait pris la décision d'émigrer en Europe. Si elle s'estimait chanceuse, c'était en partie parce qu'elle imaginait comment les choses auraient pu se passer plus mal :

> « Je retourne souvent rendre visite à mes cousins. Ils sont beaucoup plus pauvres que moi et vivent dans des villages reculés. J'aurais pu facilement rester près d'eux. Je suis la seule de toute la famille à avoir émigré ici. De ce point de vue, je me dis souvent que j'ai de la chance. »

Pourtant, elle était malchanceuse en amour. Elle s'éprenait souvent d'hommes qui n'étaient pas libres ou qui se moquaient d'elle. À la fin de l'École de la Chance, Paula m'a dit que sa chance avait augmenté de 50 %. Dans notre dernier entretien, elle m'a confié que cette amélioration provenait du fait qu'elle avait réussi à saisir davantage d'occasions et que l'une d'elles allait peut-être déboucher sur une vie sentimentale plus réussie :

> « Ça s'est vraiment bien passé. J'ai décidé d'introduire un peu de variété dans ma vie et l'autre soir, je suis rentrée chez moi par un itinéraire différent. En général j'emprunte le même chemin à pied, mais cette fois, j'ai décidé d'en prendre un autre. J'ai simplement pensé que je devais innover, comme vous me l'aviez conseillé. Bref, je suis tombée sur plusieurs personnes que je connaissais — au moins quatre. En général je ne fais aucune rencontre, donc c'était formidable. Et puis il y a un type qui me plaît vraiment. Je ne le connais pas bien mais j'ai décidé de tenter de lui envoyer un texto pour l'inviter à prendre un verre. Il m'a répondu « oui » et m'a également dit qu'il avait des billets de cinéma, alors on va sortir ensemble. Il me plaît vraiment, alors je croise les doigts. »

Au total, 80 % des personnes ayant participé à l'École de la Chance ont estimé que leur chance avait augmenté. En moyenne, ils considéraient qu'elle s'était améliorée de 40 %. Après l'École de la Chance, leurs scores chance révélaient que les malchanceux étaient devenus chanceux et les chanceux plus chanceux qu'auparavant. Mais surtout, comme le montre le graphique ci-dessous, ils étaient davantage satisfaits de tous les aspects de leur vie.

Mes recherches précédentes indiquaient que nous devrions être capables d'augmenter notre bonne fortune en nous contentant de réfléchir et d'agir comme les chanceux. L'École de la Chance a donc démontré la justesse de cette prédiction. Le programme a remporté un immense succès. En un mois seulement, il a exercé des effets étonnamment positifs. Ses participants se sont créé davantage d'occasions favorables, ont pris davantage de décisions heureuses ainsi que des mesures importantes pour réaliser leurs ambitions et ont imaginé des manières de transformer leur malchance en bonne fortune. Mais surtout, ils sont devenus plus satisfaits de bien des aspects de leur vie.

VERS UN AVENIR PLUS SOURIANT

Au début de ce livre, j'ai raconté comment mes antécédents de magicien professionnel m'avaient amené à m'intéresser à la psychologie. Lorsque j'étais magicien, j'avais besoin de comprendre comment mon public percevait le monde, afin

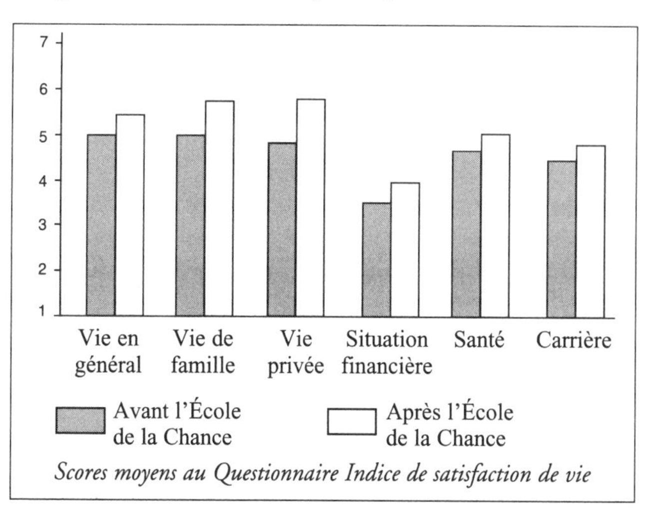

Scores moyens au Questionnaire Indice de satisfaction de vie

de créer des tours de prestidigitation qui le trompaient et le divertissaient. À présent que j'ai atteint le bout de mes recherches sur la chance, je me dis qu'il existe un lien beaucoup plus profond entre mon ancienne profession de magicien et mon travail actuel sur la chance. Magicien, j'avais l'art de faire paraître possible l'impossible. Les objets disparaissaient dans l'air et défiaient les lois de la gravité. Des personnes étaient coupées en deux et réapparaissaient sans la moindre blessure. Durant quelques minutes, le monde se transformait en un lieu différent. De la même manière, mes recherches sur la chance illustrent qu'il est possible de se transformer. Elles démontrent que les êtres humains peuvent énormément développer leur chance. Elles leur procurent des moyens de changer et de grandir. Elles leur indiquent de quelle façon ils peuvent laisser le passé derrière eux et avancer vers un avenir plus souriant et heureux.

Mais contrairement aux tours que je réalisais à l'époque où j'étais magicien, ces transformations ne sont pas que des illusions passagères dues à une quelconque dextérité. Ce sont des changements permanents et véritables, basés sur quatre principes psychologiques aux effets puissants. Elles ne nécessitent pas non plus de connaissances ésotériques ou d'années de pratique intense. Elles ne demandent en fait qu'une bonne compréhension des idées exposées dans mon livre, accompagnée d'un désir sincère de s'approprier ces quatre principes et de mener une vie plus chanceuse.

Ce voyage de découverte a été long mais fructueux. Depuis des millénaires, les êtres humains reconnaissaient l'importance de la chance, mais ils assumaient qu'il s'agissait d'une force mystique, que seuls des rituels relevant de la superstition pouvaient influencer. Ils ont essayé d'avoir davantage de chance en se munissant de porte-bonheur, en touchant le bois et en évitant le chiffre treize. Des recherches scientifiques ont révélé que la véritable explication de la chance repose sur quatre principes psychologiques. Au cours de cet ouvrage, vous avez pris connaissance de la théorie qui sert de base à ces quatre principes et des techniques qui vous permettent de les incorporer à votre vie.

Bien sûr, il ne tient qu'à vous de les utiliser ou non. À vous seulement de décider si vous voulez ou non changer votre mode de pensée et votre comportement. Mais avant de prendre cette décision, envisagez les conséquences qu'aurait un peu plus de chance sur vos vies personnelle et professionnelle. Pensez qu'en maîtrisant le sort, vous pourriez plus facilement créer une vie de famille qui vous comblerait et un cercle d'amis intimes loyaux. Que la chance pourrait vous aider à trouver l'emploi de vos rêves et le compagnon idéal. Vous permettre de mener une vie saine, heureuse et comblée.

Il ne vous sera ni difficile ni long d'effectuer les changements nécessaires. Il vous suffira de désirer sincèrement accomplir ces transformations et d'avoir la volonté d'envisager la chance sous un jour radicalement nouveau. Votre avenir n'est pas gravé dans la pierre. Vous n'êtes pas destiné à connaître sempiternellement la même somme de bonne fortune. Vous pouvez changer. Vous pouvez créer bien davantage d'occasions de saisir la chance et vous trouver bien plus souvent au bon endroit au bon moment.

Dans le domaine de la chance, l'avenir repose entre vos mains.

Et il commence tout de suite.

ANNEXES

ANNEXE A

ANNEXE B

Analyste 1

Analyste 2

Bibliographie

INTRODUCTION

WISEMAN, R. Deception and self-deception : Investigating Psychics. Buffalo, N.Y., Prometheus Press (1997).

WISEMAN, R. « The Megalab Truth Test », Nature, 373, 391 (1995).

LAMONT, P. & WISEMAN, R. Magic in Theory : An Introduction to the theoretical and psychological elements in conjuring. Hermetic Press, USA (1999).

CHAPITRE 1

BECHTEL, S. & STAINS, L.R. The Good Luck Book. New York, Workman Publishing, page 195 (1997).

SIMMONS, I. The Fortean Times Book of Life's Losers. Londres, John Brown Publishing (1995), page 65.

The Fortean Times, décembre 2001. Numéro 153, page 6.

Life's Losers, op. cit., page 60.

The Good Luck Book, op. cit., page 203.

BANDURA, A. (1982). « The Psychology of Chance Encounters and Life Paths », American Pyschologist, 37

(7), 747-755 (La psychologie des rencontres fortuites et les chemins de la vie).

WILLIAMS, E.N., SOEPRAPTO, E., LIKE, K., TOURADJI, P., HESS, S. & HILL, C.E. (1998). « Perceptions of serendipity: Career Paths of prominent academic women in counselling psychology », Journal of Counselling Psychology, 45, 379-389 (Perceptions de la « fortuitude » : Trajectoires professionnelles de femmes conseillères d'orientation en vue).

KRUMBOLTZ, J.D. (1998). « Serendipity Is Not Serenpenditous », Journal of Counselling Psychology, 45 (4), 390-392 (La « fortuitude » n'est pas fortuite).

MITCHELL, K.E., LEVIN, A.S & KRUMBOLTZ, J.D. (1999). « Planned Happenstance: Constructing Unexpected Career Opportunities », Journal of Counselling & Development, 77 (2), 115-124 (Événements fortuits planifiés: création d'occasions de carrière imprévues).

BRIAN, D. (2001). Pulitzer: A Life. Wiley, John & Sons, New York.

WREDEN, N. « How to make your case in 30 seconds or less », Harvard Management Communication Letter, page 3 (2002) (Comment présenter vos arguments en 30 secondes ou moins).

The Good Luck Book, op. cit., page 176.

Today, 13 octobre 1995, page 7.

ROBERTS, R.M. (1989). Serendipity. John Wiley & Sons, New York.

The Good Luck Book, op. cit., page 176.

WISEMAN, R., HARRIS, P. & MIDDLETON, W. (1994). « Luckiness and Psi: An Initial Survey », Journal of the Society for Psychical Research, 60 (836), 1-15 (Chance et paranormal: Sondage initial).

CHAPITRE 2

GREENE, F.M. (1960). « The feeling of luck and its effect on PK », Journal of Parapsychology 24, 129-141 (Le sentiment de chance et ses effets sur la psychokinésie).

RATTE, R. (1960). « Comparison of game and standard PK testing techniques under competitive and non competitive conditions », Journal of Parapsychology, 24 (4), 235-244 (Comparaison entre techniques d'analyses par jeu et psychokinésie ordinaire dans des conditions de compétition et de non-compétition).

Pour plus amples informations sur le travail consacré à la relation entre la chance et les facultés paranormales, consulter :

SMITH, M.D., WISEMAN, R., HARRIS, P. & JOINER, R. « On being lucky : the psychology and parapsychology of luck », European Journal of Parapsychology, 12, 35-43. 1966 (Sur le fait d'être chanceux : la psychologie et la parapsychologie de la chance).

728 individus ont participé à l'expérience (245 chanceux, 295 neutres et 188 malchanceux). Tous ont rempli un questionnaire dans lequel ils indiquaient combien de billets ils avaient l'intention d'acheter pour le prochain tirage du loto et quels chiffres ils sélectionneraient. Après le tirage, nous avons calculé leur niveau global de gains ou de pertes et la moyenne des chiffres qu'ils avaient cochés correctement, calculée par rapport au nombre de billets qu'ils avaient achetés.

Deux analyses de Kruskal-Wallis ont démontré qu'il n'y avait pas de différences entre les deux groupes pour ces deux calculs (gain/coût : df = 2, valeur H (corrigée en fonction des ex-aequo) : 2.86 : valeur p (2 ex-aequo) = .24 : chiffres moyens appariés ; df = 2, valeur H (corrigée en fonction des ex-aequo) = .01, valeur p = .99).

Pour des détails complémentaires, consulter :

SMITH, M.D., WISEMAN, R., & HARRIS, P. (1997). Perceived luckiness and the UK Kingdom National Lottery. Compte rendu de la 40e Convention annuelle de l'Association de Parapsychologie. UK, 387-398 (Perception de la chance et loto national du Royaume-Uni).

Nos remerciements à Stephen Morgenstein, producteur de l'émission télévisée « Out of this World » de la BBC, qui nous a aidés à mener ce sondage.

Pour une analyse à jour et très lisible des recherches précédentes sur le calcul de l'indice de satisfaction de vie, consulter :

ARGYLE, M. The Psychology of Happiness. Londres, Routledge (2001).

DEARY, I. Intelligence : A Very Short Introduction. Londres, Oxford University Press.

WISEMAN, R. & WATT, C. (2002). Belief in Paranormal, Cognitive Ability and Extrasensory Perception : The Role of Experimenter Effects. Compte rendu de la 45e Convention Annuelle de l'Association de Parapsychologie. Paris, France (Croyance au paranormal, faculté cognitive et perception extrasensorielle : le rôle des effets de l'expérimentateur).

CHAPITRE 3

Pour une excellente introduction aux recherches sur la personnalité, consulter :

FURNHAM, A. & HEAVEN, P. (1999). Personality and Social Behaviour. Londres, Arnold.

ARGYLE, M. (1988). Bodily Communication. Londres, Routledge.

MUIR, H. (1996). « Research into the factors influencing survival in aircraft accidents », The Aeronautical Journal, mai 1996, 177-181 (Recherches sur les facteurs agissant sur la survie dans les accidents aériens).

CHAPITRE 4

CLAXTON, G. (1998). Hare Brain Tortoise Mind. Londres, Fourth Estate.

MORELAND, R.L. & ZAJONC, R.B. (1982). « Exposure effects in person perception: Familiarity, similarity and attraction », Journal of Experimental Social Psychology, 18, 395-415 (Effets de l'exposition sur la perception des personnes: familiarité, ressemblance et attirance).

BORNSTEIN, R.F. (1989). « Exposure and affect: Overview and meta-analysis of research (1968-1987) », Psychological Bulletin, 106, 265-289 (Exposition et affect: vue d'ensemble et méta-analyse des recherches).

HILL, T., LEWICKI, P., CZYZEWSKA, M., SCHULLER, G. (1990). « The role of learned inferential encoding rules in the perception of faces: Effects of nonconscious self-perpetuation of a bias », Journal of Experimental Social Psychology. 26 (4), 350-371 (Le rôle des règles de codage apprises par déduction dans la perception des visages: effets de la poursuite à l'infini inconsciente d'un préjugé).

VRIJ, A. (2000). Detecting Lies and deceit: The psychology of lying and the implications for professional practice. Chichester, Wiley.

DEPAULO, B.M., CHARLTON, K., COOPER, H., LINDSAY, J.L. & MUHLENBRUCK, L. (1997). « The accuracy-confidence correlation in the detection of deception », Personality and Social Psychology Review, 1,

346-357 (La corrélation justesse-confiance dans la détection de la tromperie).

VRIJ, A. (2001). « Detecting the liars », The Psychologist, 14 (11), 596-598 (Détection des menteurs).

CHAPITRE 5

ROSENTHAL, R. & JACOBSON, L.F. (1968). Pygmalion in the classroom. New York, Holt, Rinehart & Winston.

SNYDER, M. (1984). « When belief creates reality », dans L. Berkowitz (Ed.), Advances in Experimental social psychology (volume 18, pp. 248-306). New York, Academic Press (Lorsque la croyance crée la réalité).

SCHEIER, M. & CARVER, C. (1987). « Dispositional optimism and physical well-being: the influence of generalized outcome expectations on health », Journal of Personality, 55, 169-210 (Optimisme naturel et bien-être physique: l'influence sur la santé des attentes généralisées de résultats).

KAVUSSANU, M. & MCAULEY, E. (1995). « Exercice and optimism: are highly active individuals more optimistic? », Journal of Sports and Exercice Psychology, 39, 1031-9 (Exercice et optimisme: les individus super-actifs sont-ils plus optimistes?).

TAYLOR, S.T. & ARMOR, D.A. (1996). « Positive Illusions and Coping with Adversity », Journal of Personality, 64 (4) 873-898 (Illusions positives et affrontement de l'adversité).

EVERSON, S., GOLDBERG, D., KAPLAN, G. et al. (1996). « Hopelessness and risk of mortality and incidence of myocardial infarction and cancer », Psychosomatic Medicine, 58, 113-21 (Les risques de mortalité et l'incidence sur l'infarctus du myocarde et le cancer liés au désespoir).

HANSEN, C. (1989). « A causal model of the relationship among accidents, biodata, personality and cognitive factors », Journal of Applied Psychology, 74, 81-90 (Un modèle causal de la relation entre les accidents, les données biologiques, la personnalité et les facteurs cognitifs).

FURNHAM & HEAVEN, op. cit., pages 194-196.

PHILLIPS, D.P., LIU, G.C., KWOK, K., JARVINEN, J.R., ZHANG, W. & ABRAMSON, I.S. (2001). « The Hound of the Baskerville effect: natural experiment on the influence of psychological stress on timing of death », British Medical Journal, 323, 1443-1446 (L'effet Chien des Baskerville: expérience naturelle à propos de l'influence du stress psychologique sur le moment de la mort).

DOUGHERTY, T.W., TURBAN, D.B. & CALLENDER, J.C. (1994). « Confirming First Impressions in the Employment Interview: A Field Study of Interviewer Behavior », Journal of Applied Psychology, 79 (5), 659-665 (Confirmation des premières impressions lors de l'entretien d'embauche: Enquête sur le terrain du comportement de l'interviewer).

LIVINGSTON, J.S. (1988). « Pygmalion in Management », Harvard Business Review, septembre-octobre, 121-130.

SNYDER, M., TANKE, E.D. & BERSCHEID, E. (1977). « Social perception and interpersonal behaviour: On the self-fulfilling nature of social stereotypes », Journal of Personality and Social Psychology, 35, 656-666 (Perception sociale et interaction: à propos de la reproduction à l'infini des stéréotypes sociaux).

CHAPITRE 6

MEDVEC, V.H., MADEY, S.F. & GILOVICH, T. (1995). « When less is more: counterfactual thinking and satisfaction amont Olympic medallists », Journal of Personality and Social Psychology, 69, 4, 603-610 (Quand moins égale plus : raisonnement antifactuel et satisfaction chez les médaillés olympiques).

Pour un débat supplémentaire sur la relation entre le raisonnement antifactuel et la chance, voir :

TEIGEN, K.H. (1995). « How good is good luck ? The role of counterfactual thinking in the perception of lucky and unlucky events », European Journal of Social Psychology, 25, 281-302 (Dans quelle mesure la chance est-elle vraiment de la chance ? Le rôle du raisonnement antifactuel dans la perception des événements chanceux et malchanceux).

LAIRD, J.D., WAGENER, J.J., HALAL, M. & SZEGDA, M. (1982). « Remembering What You Feel : Effects of Emotion on Memory », Journal of Personality and Social Psychology, 42 (4), 646-657 (Mémoire du ressenti : Effets de l'émotion sur la mémoire).

CHAPITRE 7

Cette étude s'est portée sur 60 sujets (17 chanceux, 32 neutres et 11 malchanceux). Chacun a dû remplir un questionnaire portant sur trois superstitions bien connues (« Les chats noirs portent la poisse », « Briser un miroir est signe de malheur » et « Le nombre 13 porte malchance »). Les sujets ont accordé une note entre 1 (pas d'accord) et 7 (d'accord) à chaque donnée. Leurs réponses ont été résumées pour obtenir un score unique et une analyse de Kruskal-Wallis a révélé que les différences entre les groupes étaient presque significatives (df = 2, valeur H [corrigée pour ex-aequo] = 5.39, valeur p [2 ex-aequo] = 0.7).

CHAPITRE 8

Les racines de nombreuses superstitions sont présentées dans Gwathmey, E. (1994). Lots of luck: Legend and Lore and Good Fortune. Californie, Angel City Press.

Pour une vue d'ensemble de ces superstitions, consulter:

HAINING, P. Superstition. Grande-Bretagne, Sidgwick & Jackson Ltd (1979).

BUHRMANN, H., BROWN, B. & ZAUGG, M. (1982). « Superstitions beliefs and behaviour: A comparison of male and female basketball players », Journal of Sport Behaviour, 5, 175-185 (Croyances superstitieuses et comportement: une comparaison entre des basketteurs et des basketteuses).

VYSE, S.A. (1997) Believing in magic: The psychology of superstition. New York, Oxford University Press.

WEN, P. « Superstition casts a widening spell », The Boston Globe (Le sortilège jeté par la superstition se propage).

MOORE, D.W. (2000). « One in four Americans superstitious », Gallup Poll News Service, 13 octobre 2000 (Un Américain sur quatre est superstitieux).

EPSTEIN, S. (1993). « Cognitive-experiential self theory: Implications for developmental psychology » (Propre théorie cognitive relevant de l'expérience: implications pour la psychologie développementale). Dans M. Gunnar & L.A. Sroufe (Eds), Self-processes and development. Minnesota symposia on child psychology, vol. 23 (79-123), Hillsdale, NJ, Erlbaum (Autoprocessus et développement. Symposium du Minnesota sur la psychologie de l'enfant).

GARWOOD K. (1963). « Superstition and half belief », New Society, 31 janvier 13-14 (Superstition et demi-croyance).

RUMARVINSTEIN, S. (2002). « What a deal: $1 for $5. Treasury offers « collectible » dollars at rare greenbacks in S.F. », San Francisco Chronicle, 6 février (Une sacrée affaire: 1 $ pour 5 $. Le Trésor offre des dollars « de collection » dans une vente rare de billets verts à S.F.).

LEVIN, M. Do Black Cats Cause Bad Luck? Gagnant du « Memorial Essay Contest Joe Erebin » organisé par les Sceptiques de la région de New York. http://www.liii.com/-nyask/cat-report2.html (Est-ce que les chats noirs portent malheur?).

CHAPITRE 9

Les sujets ont rempli les Questionnaires de la Chance et de l'Indice de satisfaction de vie avant et après l'« École de la Chance ». Deux tests de rang de Willcoxon ont été utilisés pour comparer leur score chance et leur moyenne au Questionnaire Indice de satisfaction de vie avant et après l'École. Les deux résultats étaient significatifs (Score chance: Z [corrigé pour ex-aequo] = 2.51, valeur p [2 ex-aequo] = 0.1 : Score moyen pour indice satisfaction de vie: Z [corrigé pour ex-aequo] = 2.04, valeur p [2 ex-aequo] = 0.4).

Remerciements

J'aimerais remercier les personnes suivantes pour leur aide dans la conduite des recherches décrites ici et dans l'écriture de ce livre : Dr Caroline Watt, Dr Matthew Smith, Dr Peter Harris, Dr Emma Greening, Dr Wendy Middleton, Clive Jeffries et Helen Large. Je suis également reconnaissant aux différentes organisations qui ont soutenu et aidé à financer ce projet : le Leverhulme Trust, l'université du Hertfordshire et la BBC. Ce livre n'aurait jamais vu le jour sans les conseils avisés de mon agent Patrick Walsh et de mes éditeurs Kate Parkin, Anna Cherrett et Jonathan Burnham. Enfin, je remercie tout spécialement les centaines de personnes chanceuses et malchanceuses qui ont été assez aimables pour prendre part à mes recherches et me faire partager leurs fascinantes expériences.

Pour connaître les dernières recherches de l'auteur sur la chance, vous pouvez consulter le site

www.luckfactor.co.uk

Attention, le site est en anglais

IMPRIMÉ EN ESPAGNE PAR LIBERDÚPLEX (Barcelone)

pour le compte des
Nouvelles Éditions Marabout
D.L. nº 60852 - juin 2005
ISBN : 2-501-04137-2/02